2020年版

# ハン検 過去問題集 4級

「ハングル」能力検定試験

# まえがき

「ハングル」能力検定試験は日本で初めての韓国・朝鮮語検定試験として、1993年の第1回実施から今日まで53回実施され、延べ出願者数は43万人を超えました。これもひとえに皆さまのご支持の賜物と深く感謝しております。

ハングル能力検定協会は、日本で「ハングル」[*1]を普及し、日本語ネイティブの「ハングル」学習到達度に公平・公正な社会的評価を与え、南北のハングル表記の統一に貢献するという3つの理念で検定試験を実施して参りました。

2019年春季第52回検定試験は全国61ヶ所、秋季第53回検定試験は72ヶ所の会場で実施され、出願者数は合計20,231名となりました。

本書は「2020年版ハン検[*2]過去問題集」として2019年第52回、第53回検定試験の問題を各級ごとにまとめたものです。それぞれに問題(聞きとりはＣＤ)と解答、日本語訳と詳しいワンポイントアドバイスをつけました。

「ハン検」は春季第50回検定試験より試験の実施要項が変わり、一部問題数と形式も変わりました。新実施要項に対応した本書で、試験問題の出題傾向や出題形式を把握し、これからの本試験に備えていただければ幸いです。

これからも「ハングル」を学ぶ日本語ネイティブのための唯一の試験である「ハン検」を、入門・初級の方から地域及び全国通訳案内士などの資格取得を目指す上級の方まで、より豊かな人生へのパスポートとして、幅広くご活用ください。

最後に、本検定試験実施のためにご協力くださったすべての方々に、心から感謝の意を表します。

2020年3月吉日

特定非営利活動法人
ハングル能力検定協会

[*1] 当協会は「韓国・朝鮮語」を統括する意味で「ハングル」を用いておりますが、協会名は固有名詞のため、「」は用いず、ハングル能力検定協会とします。

[*2]「ハン検」は「ハングル」能力検定試験の略称です。

# 目　次

## ◎４級(初級後半)のレベルの目安と合格ライン

### ■レベルの目安

60分授業を80回受講した程度。基礎的な韓国・朝鮮語を理解し、それらを用いて表現できる。

・比較的使用頻度の高い約1,070語の単語や文型からなる文を理解することができる。
・決まり文句を用いて様々な場面であいさつ・あいづちや質問ができ、事実を伝え合うことができる。また、レストランでの注文や簡単な買い物をする際の依頼や簡単な誘いなどを行うことができる。
・簡単な日記や手紙、メールなどの短い文を読み、何について述べられたものなのかをつかむことができる。
・自分で辞書を引き、頻繁に用いられる単語の組み合わせ(連語)についても一定の知識を持ちあわせている。

### ■合格ライン

●100点満点(聞取40点 筆記60点)中、60点以上合格。

※５、４級は合格点(60点)に達していても、聞きとり試験を受けていないと不合格になります。

◎記号について

［　］：発音の表記であることを示す。
〈　〉：漢字語の漢字表記(日本漢字に依る)であることを示す。
（　）：当該部分が省略可能であるか、前後に(　)内のような単語などが続くことを示す。
【　】：品詞情報など、何らかの補足説明が必要であると判断された箇所に用いる。
「　」：Point中の日本語訳であることを示す。
★　：大韓民国と朝鮮民主主義人民共和国とでの、正書法における表記の違いを示す(南★北)。

◎「、」と「；」の使い分けについて

1つの単語の意味が多岐にわたる場合、関連の深い意味同士を「、」で区切り、それとは異なる別の意味で捉えた方が分かりやすいものは「;」で区切って示した。また、同音異義語の訳についても、「；」で区切っている。

◎／ならびに｛／｝について

／は言い替え可能であることを示す。用言語尾の意味を考える上で、動詞や形容詞など品詞ごとに日本語訳が変わる場合は、例えば、「～｛する／である｝が」のように示している。これは、「～するが」、「～であるが」という意味である。

# 4級

聞きとり　20問/30分
筆　　記　40問/60分

## 2019年 春季 第52回
# 「ハングル」能力検定試験

【試験前の注意事項】

1）監督の指示があるまで、問題冊子を開いてはいけません。
2）聞きとり試験中に筆記試験の問題部分を見ることは不正行為となるので、充分ご注意ください。
3）この問題冊子は試験終了後に持ち帰ってください。
　マークシートを教室外に持ち出した場合、試験は無効となります。
※CD 3などの番号はＣＤのトラックナンバーです。

【マークシート記入時の注意事項】

1）マークシートへの記入は「記入例」を参照し、ＨＢ以上の黒鉛筆またはシャープペンシルではっきりとマークしてください。ボールペンやサインペンは使用できません。
　訂正する場合、消しゴムで丁寧に消してください。
2）氏名、受験地、受験地コード、受験番号、生まれ月日は、もれのないよう正しくマークし、記入してください。
3）マークシートにメモをしてはいけません。メモをする場合は、この問題冊子にしてください。
4）マークシートを汚したり、折り曲げたりしないでください。

※試験の解答速報は、6月2日の試験終了後、協会公式ＨＰにて公開します。
※試験結果や採点について、お電話でのお問い合わせにはお答えできません。


**◆次回 2019年 秋季 第53回検定：11月10日（日）実施◆**

# 第52回 マークシート

## 「ハングル」能力検定試験

### 個人情報欄 ※必ずご記入ください

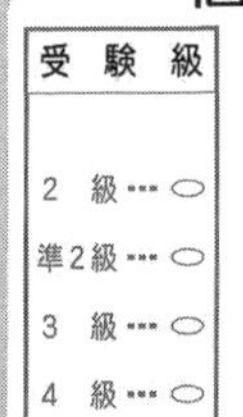
受験級
2 級 … ○
準2級 … ○
3 級 … ○
4 級 … ○
5 級 … ○

受験地コード
⓪ ① ② ③ ④ ⑤ ⑥ ⑦ ⑧ ⑨（4桁）

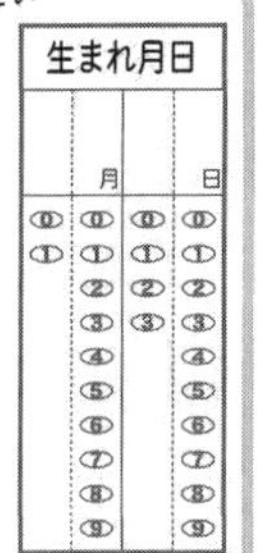
受験番号
⓪ ① ② ③ ④ ⑤ ⑥ ⑦ ⑧ ⑨（4桁）

生まれ月日
月 日

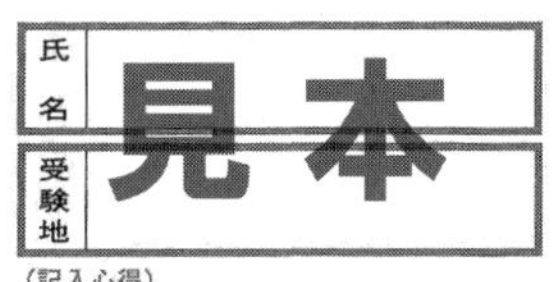
氏名
受験地
見本

（記入心得）
1．ＨＢ以上の黒鉛筆またはシャープペンシルを使用してください。
（ボールペン・マジックは使用不可）
2．訂正するときは、消しゴムで完全に消してください。
3．枠からはみ出さないように、ていねいに塗りつぶしてください。

（記入例）解答が「１」の場合
良い例 ● ② ③ ④
悪い例 レ点 線 バッテン 点 うすい

### 聞きとり

|  | | | | |
|---|---|---|---|---|
| 1 | ① | ② | ③ | ④ |
| 2 | ① | ② | ③ | ④ |
| 3 | ① | ② | ③ | ④ |
| 4 | ① | ② | ③ | ④ |
| 5 | ① | ② | ③ | ④ |
| 6 | ① | ② | ③ | ④ |
| 7 | ① | ② | ③ | ④ |
| 8 | ① | ② | ③ | ④ |
| 9 | ① | ② | ③ | ④ |
| 10 | ① | ② | ③ | ④ |
| 11 | ① | ② | ③ | ④ |
| 12 | ① | ② | ③ | ④ |
| 13 | ① | ② | ③ | ④ |
| 14 | ① | ② | ③ | ④ |
| 15 | ① | ② | ③ | ④ |
| 16 | ① | ② | ③ | ④ |
| 17 | ① | ② | ③ | ④ |
| 18 | ① | ② | ③ | ④ |
| 19 | ① | ② | ③ | ④ |
| 20 | ① | ② | ③ | ④ |

### 筆 記

|  | | | | |
|---|---|---|---|---|
| 1 | ① | ② | ③ | ④ |
| 2 | ① | ② | ③ | ④ |
| 3 | ① | ② | ③ | ④ |
| 4 | ① | ② | ③ | ④ |
| 5 | ① | ② | ③ | ④ |
| 6 | ① | ② | ③ | ④ |
| 7 | ① | ② | ③ | ④ |
| 8 | ① | ② | ③ | ④ |
| 9 | ① | ② | ③ | ④ |
| 10 | ① | ② | ③ | ④ |
| 11 | ① | ② | ③ | ④ |
| 12 | ① | ② | ③ | ④ |
| 13 | ① | ② | ③ | ④ |
| 14 | ① | ② | ③ | ④ |
| 15 | ① | ② | ③ | ④ |
| 16 | ① | ② | ③ | ④ |
| 17 | ① | ② | ③ | ④ |
| 18 | ① | ② | ③ | ④ |
| 19 | ① | ② | ③ | ④ |
| 20 | ① | ② | ③ | ④ |
| 21 | ① | ② | ③ | ④ |
| 22 | ① | ② | ③ | ④ |
| 23 | ① | ② | ③ | ④ |
| 24 | ① | ② | ③ | ④ |
| 25 | ① | ② | ③ | ④ |
| 26 | ① | ② | ③ | ④ |
| 27 | ① | ② | ③ | ④ |
| 28 | ① | ② | ③ | ④ |
| 29 | ① | ② | ③ | ④ |
| 30 | ① | ② | ③ | ④ |
| 31 | ① | ② | ③ | ④ |
| 32 | ① | ② | ③ | ④ |
| 33 | ① | ② | ③ | ④ |
| 34 | ① | ② | ③ | ④ |
| 35 | ① | ② | ③ | ④ |
| 36 | ① | ② | ③ | ④ |
| 37 | ① | ② | ③ | ④ |
| 38 | ① | ② | ③ | ④ |
| 39 | ① | ② | ③ | ④ |
| 40 | ① | ② | ③ | ④ |

41問～50問は2級のみ解答

|  | | | | |
|---|---|---|---|---|
| 41 | ① | ② | ③ | ④ |
| 42 | ① | ② | ③ | ④ |
| 43 | ① | ② | ③ | ④ |
| 44 | ① | ② | ③ | ④ |
| 45 | ① | ② | ③ | ④ |
| 46 | ① | ② | ③ | ④ |
| 47 | ① | ② | ③ | ④ |
| 48 | ① | ② | ③ | ④ |
| 49 | ① | ② | ③ | ④ |
| 50 | ① | ② | ③ | ④ |

K12516T 110kg

ハングル能力検定協会

# 聞きとり問題

CD 2

**1** 質問文と選択肢を２回ずつ読みます。絵を見て、【質問】に対する答えとして適切なものを①～④の中から１つ選んでください。解答はマークシートの１番～３番にマークしてください。

（空欄はメモをする場合にお使いください）〈２点×３問〉

CD 3

１）【質問】＿＿＿＿＿＿＿＿＿＿＿＿＿＿＿＿ 1

①＿＿＿＿＿＿＿＿＿＿＿＿＿＿＿＿

②＿＿＿＿＿＿＿＿＿＿＿＿＿＿＿＿

③＿＿＿＿＿＿＿＿＿＿＿＿＿＿＿＿

④＿＿＿＿＿＿＿＿＿＿＿＿＿＿＿＿

# 第52回 問題

CD 4

2）【質問】 ＿＿＿＿＿＿＿＿＿＿ **2**

① ＿＿＿＿＿＿＿＿＿＿

② ＿＿＿＿＿＿＿＿＿＿

③ ＿＿＿＿＿＿＿＿＿＿

④ ＿＿＿＿＿＿＿＿＿＿

## 問　題

CD 5

3）【質問】 ------------------------------------------------ 3

①------------------------------------------------

②------------------------------------------------

③------------------------------------------------

④------------------------------------------------

# 第52回 問題



CD 6

**2** 短い文と選択肢を２回ずつ読みます。文の内容に合うものを①～④の中から１つ選んでください。解答はマークシートの４番～７番にマークしてください。

（空欄はメモをする場合にお使いください）〈２点×４問〉

CD 7

１）＿＿＿＿＿＿＿＿＿＿＿＿ **4**

①＿＿＿ ②＿＿＿ ③＿＿＿ ④＿＿＿

CD 8

２）＿＿＿＿＿＿＿＿＿＿＿＿ **5**

①＿＿＿ ②＿＿＿ ③＿＿＿ ④＿＿＿

CD 9

３）＿＿＿＿＿＿＿＿＿＿＿＿ **6**

①＿＿＿ ②＿＿＿ ③＿＿＿ ④＿＿＿

## 問　題

CD10

4）＿＿＿＿＿＿＿＿＿＿＿＿＿＿＿＿＿＿＿＿　**7**

①＿＿＿＿＿＿＿＿＿＿　②＿＿＿＿＿＿＿＿＿＿

③＿＿＿＿＿＿＿＿＿＿　④＿＿＿＿＿＿＿＿＿＿

## 第52回 問題

CD11

**3** 問いかけなどの文を２回読みます。その応答文として適切なものを①～④の中から１つ選んでください。解答はマークシートの８番～12番にマークしてください。
（空欄はメモをする場合にお使いください）〈２点×５問〉

CD12

1）------------------------------------------------------------ 8

① 오천 원에 드릴게요.
② 너무 싸네요.
③ 여기 있어요.
④ 세 개 주세요.

CD13

2）------------------------------------------------------------ 9

① 오늘은 지하철로 왔습니다.
② 저기서 오른쪽으로 가세요.
③ 여기서 주무시면 안 돼요.
④ 저는 안 갔어요.

## 問　題



CD14

3）＿＿＿＿＿＿＿＿＿＿＿＿＿＿＿＿＿＿＿＿ 10

① 네, 잘 먹겠습니다.
② 아뇨, 남편하고 같이 가요.
③ 네, 거의 다 됐어요.
④ 네, 결혼 축하합니다.

CD15

4）＿＿＿＿＿＿＿＿＿＿＿＿＿＿＿＿＿＿＿＿ 11

① 네, 잘 다녀요.
② 정말 달라요.
③ 네, 정말 재미있었어요.
④ 잘 오셨습니다.

CD16

5）＿＿＿＿＿＿＿＿＿＿＿＿＿＿＿＿＿＿＿＿ 12

① 저는 안 봐요.
② 제 핸드폰도 있어요.
③ 벌써 잊어버렸습니다.
④ 혹시 이거 아니에요?

# 第52回 問題

CD17

**4** 文章もしくは対話文を２回読みます。その内容と一致するものを①～④の中から１つ選んでください。解答はマークシートの13番～17番にマークしてください。
(空欄はメモをする場合にお使いください) 〈２点×５問〉

CD18

1）------------------------------------------------------------
------------------------------------------------------------ 13

① 友達と一緒にご飯を食べました。
② 突然友達が会いに来ました。
③ 友達がテレビに出ていてびっくりしました。
④ 友達とテレビを見ました。

CD19

2）------------------------------------------------------------
------------------------------------------------------------ 14

① 車の窓を開けると気持ちがいいです。
② 車に乗ったら窓を閉めます。
③ 窓から車の中に入ります。
④ いつも車の中で休みます。

## 問　題



CD20

3）____________________________________________

____________________________________________ 15

① 今病気にかかっています。

② 運動をやめようと思っています。

③ 運動を再開しようと思っています。

④ 早く病気を治したいです。

CD21

4）男：________________________________________

女：________________________________________

男：________________________________________ 16

① 試験が終わりました。

② 女性にはボーイフレンドがいます。

③ 二人は付き合っています。

④ 二人は映画を見る約束をしました。

問題

CD22

5）女：________________________________________

男：________________________________________

________________________________________

女：________________________________________

男：________________________________________

女：________________________________________

男：________________________________________ 17

① 男性の会社には食堂がありません。
② 会社の食堂は魚料理がおいしいです。
③ 男性は会社の隣の建物に住んでいます。
④ 男性は最近できた新しい食堂が気に入りました。

## 問　題

CD23

**5** 対話文を２回読みます。引き続き選択肢も２回ずつ読みます。【質問】に対する答えとして適切なものを①〜④の中から１つ選んでください。解答はマークシートの18番〜20番にマークしてください。
(空欄はメモをする場合にお使いください)　〈２点×３問〉

CD24

1）男：______________________________
　　女：______________________________
　　男：______________________________
　　女：______________________________

【質問】　男性は何をしましたか。　18

①______________________________
②______________________________
③______________________________
④______________________________

問　題

CD26

2）女：________________________

男：________________________

女：________________________

男：________________________

女：________________________

________________________

男：________________________

【質問】 男性は女性の話を聞いてどうするでしょうか。 19

①________________________

②________________________

③________________________

④________________________

## 問　題

CD28

3）男：

女：

男：

女：

男：

女：

男：

【質問】　対話の内容と一致するものはどれですか。　**20**

①

②

③

④

# 筆記問題

**1** 発音どおり表記したものを①～④の中から１つ選びなさい。
(マークシートの１番～４番を使いなさい) 〈１点×４問〉

1）이것만 [1]

① [이검만]　② [이건만]　③ [이정만]　④ [이거만]

2）번역해요 [2]

① [버녀캐요]　② [버녀개요]
③ [버녀깨요]　④ [벙여캐요]

3）십칠 년 [3]

① [십칠련]　② [십친년]　③ [심친년]　④ [심칠련]

4）발전 [4]

① [발천]　② [발썬]　③ [발선]　④ [발쩐]

## 問　題

## 2 次の日本語の意味を正しく表記したものを①～④の中から1つ選びなさい。

(マークシートの５番～８番を使いなさい) 〈１点×４問〉



1) 箸 【5】

① 전가락　② 젓가락　③ 적가락　④ 접가락

2) 計画 【6】

① 개획　② 게핵　③ 계획　④ 계핵

3) 入りますね 【7】

① 들어갈게요　② 드러갈게요
③ 들오갈께요　④ 둘어갈게요

4) 最も 【8】

① 카잔　② 가창　③ 까장　④ 가장

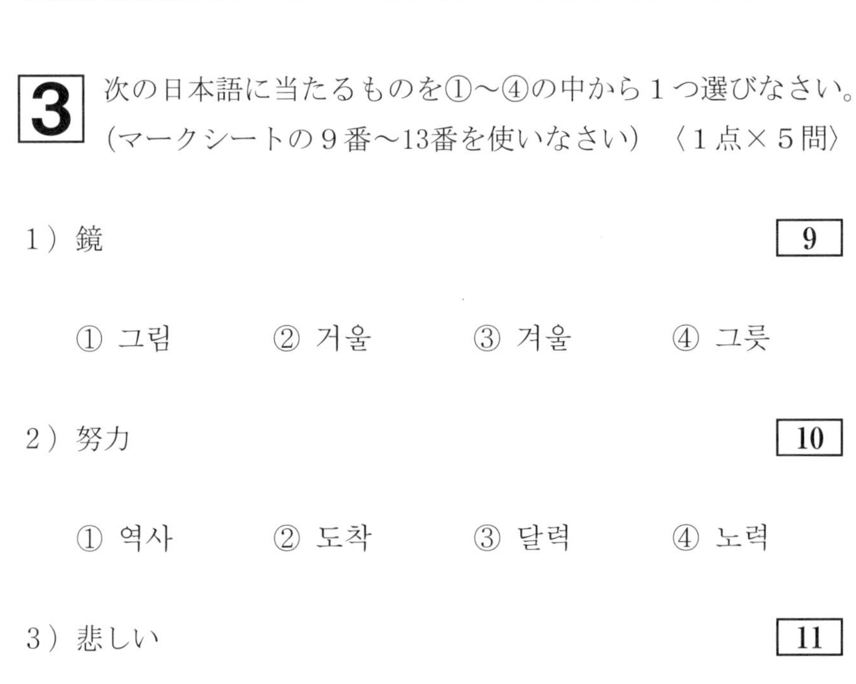

**3** 次の日本語に当たるものを①～④の中から１つ選びなさい。
(マークシートの９番～13番を使いなさい)　〈１点×５問〉

1）鏡　**9**

① 그림　② 거울　③ 겨울　④ 그릇

2）努力　**10**

① 역사　② 도착　③ 달력　④ 노력

3）悲しい　**11**

① 아프다　② 흐리다　③ 슬프다　④ 고프다

4）ほとんど　**12**

① 매우　② 그대로　③ 바로　④ 거의

5）でも　**13**

① 그렇게　② 그렇지만　③ 그런　④ 그중

**4** (　　　)の中に入れるのに最も適切なものを①～④の中から１つ選びなさい。
(マークシートの14番～16番を使いなさい)　〈２点×３問〉

1) 입학 시험 ( **14** )가 나왔습니다.

① 결과　② 머리　③ 사이　④ 혼자

2) 아침을 못 먹어서 힘이 ( **15** ).

① 강해요　② 안 나요　③ 좁아요　④ 안 젊어요

3) ( **16** ) 여름 휴가도 끝나고 내일부터 일해야 돼요.

① 자꾸　② 이제　③ 무척　④ 매우

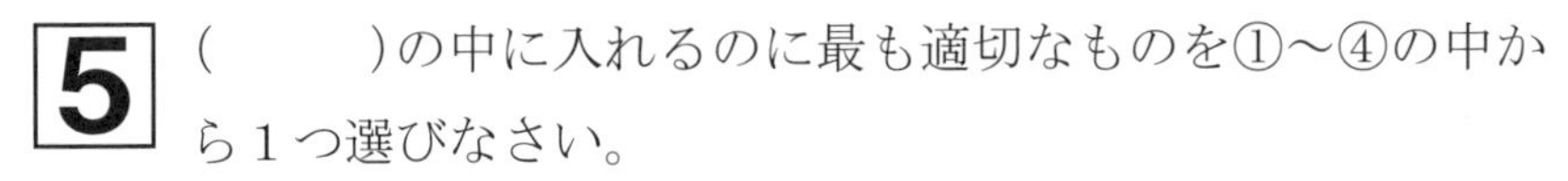

# 第52回 問題

**5** (　　)の中に入れるのに最も適切なものを①～④の中から1つ選びなさい。

(マークシートの17番～19番を使いなさい)　〈2点×3問〉

1) A：점심은 보통 나가서 드세요?
B：아뇨, 편의점에서 ( **17** )을 사서 혼자 먹어요.

① 지갑　② 도시락　③ 돈　④ 양복

2) A：집에 안 가고 왜 여기 ( **18** ) 있어요?
B：은희 씨를 기다리고 있어요.

① 믿고　② 지내고　③ 앉아　④ 열려

3) A：한국까지 와서 왜 저를 안 만나고 ( **19** ) 갔어요?
B：미안합니다. 다음에는 꼭 연락하겠습니다.

① 역시　② 아마　③ 아직까지　④ 그냥

## 問　題

**6** 次の文の意味を変えずに、下線部の単語と置き換えが可能なものを①～④の中から１つ選びなさい。
(マークシートの20番～21番を使いなさい)〈２点×２問〉

1) 사장님은 회의를 마친 뒤 공항으로 가셨습니다. 【20】

① 버린　② 끝낸　③ 빌린　④ 나간

2) 우리 둘은 마음이 잘 통해요. 【21】

① 맞아요　② 밝아요　③ 넓어요　④ 가벼워요

**7** 下線部の動詞、形容詞の辞書形(原形・基本形)として正しいものを①～④の中から１つ選びなさい。
(マークシートの22番～26番を使いなさい) 〈１点×５問〉

1) 이 모자를 <u>써</u> 보세요. 22

① 쑤다 ② 써다 ③ 싸다 ④ 쓰다

2) <u>매우면</u> 물이라도 드세요. 23

① 매우다 ② 매웁다 ③ 맵다 ④ 매다

3) 부모님 말씀을 잘 <u>들어야</u> 합니다. 24

① 들다 ② 들어다 ③ 듣다 ④ 듯다

4) 저는 가끔 한국 노래를 <u>불러요</u>. 25

① 부르다 ② 불러다 ③ 불다 ④ 부리다

5) 그 집은 내가 <u>지었어요</u>. 26

① 지다 ② 진다 ③ 짓다 ④ 지어다

**8** (　　　)の中に入れるのに適切なものを①～④の中から１つ選びなさい。
(マークシートの27番～30番を使いなさい)　〈２点×４問〉

1) 아까는 식사 중( **27** ) 전화를 못 받았어요.

① 으로　② 이라서　③ 에서　④ 처럼

2) 내일은 늦잠을 ( **28** ) 괜찮습니다.

① 자도　② 자서　③ 자면　④ 자러

3) A : 꿈이 뭐예요?
B : 저는 선생님( **29** ) 되고 싶어요.

① 에　② 가　③ 이　④ 에게

4) A : 한국말은 언제 배웠어요?
B : 한국에 ( **30** ) 친구한테서 배웠어요.

① 오는 사이에　② 오지 말고
③ 오기 전에　④ 온 끝에

## 9

次の場面や状況において最も適切なあいさつやあいづちなどの言葉を①～④の中から１つ選びなさい。
(マークシートの31番～32番を使いなさい) 〈１点×２問〉

1）お酒の席でさかずきをかわすとき　31

① 축하드려요.　② 뭘요.
③ 맞다.　④ 건배!

2）はっきり答えられない時に用いる言葉　32

① 글쎄요.　② 됐어요.　③ 아이고.　④ 그럼요.

## 問　題

**10** 対話文を完成させるのに最も適切なものを①～④の中から１つ選びなさい。
(マークシートの33番～36番を使いなさい) 〈２点×４問〉



1） A：선생님! 어디까지 공부해야 돼요?
B：( **33** )
A：선생님! 너무 많아요.

① 시험 문제는 오늘 배운 데까지 나와요.
② 그걸 아는 사람 있어요?
③ 그런 거는 내일 배우면 돼요.
④ 공부는 안 해도 되잖아요.

2） A：손님, 지금 입고 계신 옷에 이 구두는 어떠세요?
B：( **34** )
A：그럼요. 이쪽으로 오세요.

① 어디서 입어 볼까요?
② 한번 신어 봐도 돼요?
③ 아까 해 봤어요.
④ 여기서 써 볼게요.

3）A：이거 좀 봐요! 우리가 처음 같이 찍은 사진 맞죠?
B：（ **35** ）
A：제 방에서 찾았어요.

① 또 찍으면 안 돼요?
② 그때 왜 만났어요?
③ 저한테도 한 장 주세요.
④ 그게 어디서 나왔어요?

4）A：아침부터 뭐 기분 좋은 일 있어요?
B：（ **36** ）
A：정말이에요？ 축하드려요.

① 어제는 계속 일이 많아서 힘들었어요.
② 아뇨, 아침부터 일만 했거든요.
③ 어제 남자 친구하고 결혼 약속을 했거든요.
④ 네, 어제 남자 친구를 못 만났어요.

**11** 文章を読んで、問いに答えなさい。
(マークシートの37番～38番を使いなさい)〈2点×2問〉

저는 3년 전에 한국에 왔습니다. 처음에는 음식도 안 맞고 집도 돈도 아는 사람도 없었습니다. 집은 학교에서 소개해 주었습니다. 그리고 아르바이트를 해서 돈을 좀 모았습니다. 지금은 음식도 입에 맞고 친구도 많이 생겼습니다. ( 37 ) 쉬는 날에는 친구들과 한국 식당에 가서 맛있는 요리를 먹는 것이 제 취미가 됐습니다.

【問1】 ( 37 )に入れるのに適切なものを①～④の中から1つ選びなさい。 37

① 그러나　② 그래서　③ 하지만　④ 그런데

【問2】 本文の内容と一致するものを①～④の中から1つ選びなさい。 38

① 지난해부터 한국에 살고 있습니다.
② 친구와 같이 아르바이트를 하고 있습니다.
③ 한국 음식이 맛있어서 식당에 자주 갑니다.
④ 집은 제가 찾았습니다.

**12** 対話文を読んで、問いに答えなさい。
(マークシートの39番～40番を使いなさい) 〈2点×2問〉

은희 : 준수 씨는 하루에 커피를 몇 잔 정도 먹어요?
준수 : 집에 있을 때는 두 잔 정도 마셔요.
은희 : 카페 같은 데에는 자주 가요?
준수 : 네, 집 근처에 있는 커피숍에 많이 가요.
거기서 커피도 마시고 공부도 하거든요.
은희 : 커피숍에서 공부가 잘돼요?
준수 : 음악도 나오고 사람도 많지만, ( 39 ) 잘돼요.

【問1】 ( 39 )に入れるのに適切なものを①～④の中から1つ選びなさい。 39

① 생각보다
② 은희 씨 말처럼
③ 콘서트같이
④ 전혀

## 問　題

【問２】 対話文の内容と一致するものを①～④の中から１つ選びなさい。 40

① 준수 씨는 집에서는 커피를 안 마십니다.
② 준수 씨는 음악을 들으러 커피숍에 갑니다.
③ 준수 씨는 커피숍에서 공부도 합니다.
④ 준수 씨는 커피를 마시면 공부를 못 합니다.

# 第52回 解答

（＊白ヌキ数字が正答番号）

## 聞きとり 問題と解答

これから４級の聞きとりテストを行います。選択肢①～④の中から解答を１つ選び、マークシートの指定された欄にマークしてください。どの問題もメモをする場合は問題冊子の空欄にしてください。マークシートにメモをしてはいけません。

**1** 質問文と選択肢を２回ずつ読みます。絵を見て、【質問】に対する答えとして適切なものを①～④の中から１つ選んでください。 解答はマークシートの１番～３番にマークしてください。次の問題に移るまでの時間は25秒です。では始めます。

１）【質問】 남자는 무엇을 하고 있습니까? 1

→ 男性は何をしていますか？

① 지갑을 찾고 있어요. → 財布を探しています。

② 접시를 씻고 있어요. → お皿を洗っています。

## 解　答

❸ 구두를 닦고 있어요.　→ 靴を磨いています。

④ 구두를 신고 있어요.　→ 靴を履いています。

2)【質問】 그림에 맞는 설명은 몇 번입니까?　**2**

→ 絵に合う説明は何番ですか?

① 젓가락만 있습니다.

→ 箸だけあります。

❷ 냉면에 달걀이 들어 있습니다.

→ 冷麺に玉子が入っています。

③ 김치찌개하고 김밥이 있습니다.

→ キムチチゲとのり巻きがあります。

④ 김밥에 밥만 들어 있습니다.

→ のり巻きにご飯だけ入っています。

**Point** ②の들어 있습니다は、入っている状態であることを表す。①の젓가락만は、[절까랑만]、④の밥만は、[밤만]と発音される。②の달걀と併せて계란「鶏卵」も覚えておこう。

3)【質問】 그림에 맞는 설명은 몇 번입니까?　**3**

→ 絵に合う説明は何番ですか?

① 날씨가 매우 좋습니다.

→ 天気がとてもいいです。

② 여자는 바지를 입었습니다.

→ 女性はズボンを履いています。

③ 남자는 아무것도 들지 않았습니다.

→ 男性は何も持っていません。

❹ 남자는 우산을 쓰고 있습니다.

→ 男性は傘を差しています。

## 解　答

**2** 短い文と選択肢を２回ずつ読みます。文の内容に合うものを①〜④の中から１つ選んでください。解答はマークシートの４番〜７番にマークしてください。次の問題に移るまでの時間は15秒です。では始めます。

1）식사할 때 쓰는 것입니다.　　[4]

→ 食事する時、使うものです。

❶ 숟가락 → スプーン、さじ　② 만화 → 漫画

③ 동물 → 動物　④ 신호등 → 信号灯

2）나가는 곳입니다.　　[5]

→ 出るところです。

① 입구 → 入口　❷ 출구 → 出口

③ 농구 → バスケットボール　④ 배구 → バレーボール

**Point** 「出口」は、漢字語で출구〈出口〉、固有語で나가는 곳と言う。従来漢字語で表していた場所の名称を、最近は、-는 곳「〜する所」と固有語で言い換える傾向にあるが、両方覚えておくとよい。「入り口」は입구〈入口〉と들어가는 곳、「乗り換え、トランジット」は、환승〈換乗〉と갈아타는 곳、「券売所、切符売り場」は매표소〈売票所〉、표 파는 곳と言う。「乗車場、乗り場」は漢字語で승차장〈乗車場〉、「乗降場、プラットホーム」は漢字語で승강장〈乗降場〉というが、両者ともに固有語では타는 곳と言う。

3）다른 나라 사람이라는 뜻입니다. 6

→ 他の国の人という意味です。

① 교수 → 教授　② 여러분 → 皆様

❸ 외국인 → 外国人　④ 졸업생 → 卒業生

**Point** 形容詞の連体形の-ㄴ/은を覚えておこう。다르다の連体形の다른は、「他の～、別の～」の形でよく使われるので、そのまま慣れておくと便利である。例)다른 사람「他の人、別人」、다른 거(것)「他の物」、다른 방법「他の方法」。

4）아이가 학교에 갈 때 이렇게 인사합니다. 7

→ 子どもが学校に行く時、このようにあいさつします。

① 안녕히 주무십시오.

→ おやすみなさい。

② 수고하셨습니다.

→ お疲れ様でした。

③ 새해 복 많이 받으십시오.

→ 明けましておめでとうございます。

❹ 다녀오겠습니다.

→ 行ってきます。

## 解　答

**3** 問いかけなどの文を２回読みます。その応答文として適切なものを①～④の中から１つ選んでください。解答はマークシートの８番～12番にマークしてください。次の問題に移るまでの時間は30秒です。では始めます。

1）이 비누 얼마에 팔아요?　**8**

→ この石鹸いくらで売っていますか？

❶ 오천 원에 드릴게요.　→ ５千ウォンで差し上げます。

② 너무 싸네요.　→ とても安いですね。

③ 여기 있어요.　→ ここにあります。

④ 세 개 주세요.　→ ３個ください。

**Point** 買い物では､(値段)에 드리다は｢(値段)で売ります｣の意味でよく使われている。

2）여기서 역까지 어떻게 가면 돼요?　**9**

→ ここから駅までどう行けばいいですか？

① 오늘은 지하철로 왔습니다.

→ 今日は地下鉄で来ました。

❷ 저기서 오른쪽으로 가세요.

→ あそこで右に行ってください。

③ 여기서 주무시면 안돼요.

→ ここで寝てはいけません。

④ 저는 안 갔어요.

→ 私は行きませんでした。

**Point** 道を尋ねる時は어떻게 가요?「どう行きますか」、어떻게 가면 돼요?「どう行けばいいですか」などのようなフレーズを覚えておくと便利である。오른쪽으로 가세요「右に行ってください」、지하철로 가세요「地下鉄で行ってください」など、-(으)로 가세요という形で方向や交通手段を教えてくれるだろう。

3) 결혼 준비는 끝났습니까? 10

→ 結婚の準備は終わりましたか?

① 네, 잘 먹겠습니다.

→ はい、いただきます。

② 아뇨, 남편하고 같이 가요.

→ いいえ、夫と一緒に行きます。

❸ 네, 거의 다 됐어요.

→ はい、ほとんど出来ました。

④ 네, 결혼 축하합니다.

→ はい、結婚おめでとうございます。

4) 해외여행은 잘 다녀오셨어요? 11

→ 海外旅行は無事に行っていらっしゃいましたか?

① 네, 잘 다녀요.

→ はい、よく通います。

## 解　答

② 정말 달라요.

→ 本当に違います。

❸ 네, 정말 재미있었어요.

→ はい、本当におもしろかったです。

④ 잘 오셨습니다.

→ よくいらっしゃいました。

**Point** どこかへ無事に行ってきたかを質問する時には잘 다녀오셨어요？「無事に行っていらっしゃいましたか」や잘 갔다왔어요？「無事に行ってきましたか」と聞くのが普通である。答えは좋았어요「よかったです」、재미있었어요「おもしろかったです」、즐거웠어요「楽しかったです」等と感想を言うパターンが多い。

5）제 핸드폰 못 보셨어요?　**12**

→ 私の携帯見ませんでしたか？

① 저는 안 봐요.

→ 私は見ません。

② 제 핸드폰도 있어요.

→ 私の携帯もあります。

③ 벌써 잊어버렸습니다.

→ もう忘れました。

❹ 혹시 이거 아니에요?

→ もしかして、これではありませんか？

**Point** 忘れ物を探している時によく使われている表現として제 ○○ 못 보셨어요？「私の～見ませんでしたか」がある。안ではなく못を用

いる点に注意。他に、제 ○○ 어디 있는지 아세요？「私の～どこにあるかご存知ですか」などがある。探し出した人は이거 아니에요？「これではありませんか」、이거 찾으셨어요？「これをお探しですか」と確認するパターンが多い。見つからなかった場合は저는 못 봤어요.「私は見ていません」、저는 잘 모르겠어요.「私はよく分かりません」などと答える。

**4** 文章もしくは対話文を２回読みます。その内容と一致するものを①～④の中から１つ選んでください。解答はマークシートの13番～17番にマークしてください。次の問題に移るまでの時間は30秒です。では始めます。

1）어제 저녁을 먹은 후에 텔레비전을 보고 있었어요.
그때, 갑자기 친구가 찾아와서 놀랐어요. 13

→ 昨日、夕飯を食べた後にテレビを見ていました。
その時、突然友達が訪ねてきてびっくりしました。

① 友達と一緒にご飯を食べました。
❷ 突然友達が会いに来ました。
③ 友達がテレビに出ていてびっくりしました。
④ 友達とテレビを見ました。

**Point** 韓国の習慣が現れている。いきなり友達の家を訪ねるのは迷惑ではなく親しみの表れである。찾아오다は「訪ねて来る、会いに来る」、찾아가다は「訪ねて行く、会いに行く」。

## 解　答

2）저는 차를 타면 늘 창문을 열어요.
창문을 열면 바람이 들어오니까 기분이 좋아요. **14**

→ 私は車に乗るといつも窓を開けます。
窓を開けると風が入ってくるから気持ちがいいです。

❶ 車の窓を開けると気持ちがいいです。
② 車に乗ったら窓を閉めます。
③ 窓から車の中に入ります。
④ いつも車の中で休みます。

3）이제는 병이 다 나았습니다.
그래서 운동을 다시 시작하려고 합니다. **15**

→ もう病気がすっかり治りました。
それで、運動をもう一度始めようかと思っています。

① 今病気にかかっています。
② 運動をやめようと思っています。
❸ 運動を再開しようと思っています。
④ 早く病気を治したいです。

4）男：시험이 끝나면 같이 밥 먹으러 갈까요?
女：네, 좋아요. 남자친구도 같이 가도 되지요?
男：예? 남자친구가 있었어요? **16**

→ 男：試験が終わったら一緒にご飯食べに行きましょうか？
女：はい、いいですね。ボーイフレンドも一緒に行ってもいいですか？
男：え？　彼氏がいたんですか？

① 試験が終わりました。
❷ 女性はボーイフレンドがいます。
③ 二人は付き合っています。
④ 二人は映画を観る約束をしました。

5）女：준수 씨, 보통 점심은 어떻게 해요?
男：전에는 회사 식당에서 먹었지만 요즘은 근처 새 식당에 자주 가요.
女：그래요? 뭐가 맛있어요?
男：생선 요리가 너무 싸고 맛있어요.
女：그 집이 어디에 있어요?
男：회사 옆 건물 3층에 있어요. **17**

→ 女：ジュンスさん、普段、ランチはどうしていますか？
男：この前までは会社の食堂で食べていましたが、最近は新しい食堂にしょっちゅう行っています。
女：そうですか？何がおいしいですか？
男：魚料理がとても安くておいしいです。
女：その店はどこにありますか？
男：会社の隣の建物の３階にあります。

① 男性の会社には食堂がありません。
② 会社の食堂は魚料理がおいしいです。
③ 男性は会社の隣の建物に住んでいます。

## 解　答

❹ 男性は最近できた新しい食堂が気に入りました。

**5** 対話文を２回読みます。引き続き４つの選択肢も２回ずつ読みます。【質問】に対する答えとして適切なものを①～④の中から１つ選んでください。解答はマークシートの18番～20番にマークしてください。次の問題に移るまでの時間は30秒です。では始めます。

1）男：이 사과하고 저 귤은 얼마예요?
　女：이 사과는 3개에 만 원이고 저 귤은 10개에 만 원이에요.
　男：사과가 너무 비싸네요. 귤만 주세요.
　女：네, 만원입니다.
　→ 男：このリンゴとあのミカンはいくらですか？
　　女：このリンゴは３個で１万ウォンで、あのミカンは10個で１万ウォンです。
　　男：リンゴがとても高いですね。ミカンだけください。
　　女：はい、１万ウォンです。

【質問】 男性は何をしましたか。 18

① 아무것도 사지 않았습니다.
→ 何も買いませんでした。

❷ 만 원 주고 귤을 10개 샀습니다.

→ 1万ウォン払ってミカンを10個買いました。

③ 사과를 3개 팔았습니다.

→ リンゴを3個売りました。

④ 사과와 귤을 아주 싸게 샀습니다.

→ リンゴとミカンをとても安く買いました。

2）女：주말에 뭐 할 거예요?

男：여동생 생일 선물 사러 백화점에 갈 거예요.

女：여동생이 몇 살이에요?

男：중학교 3학년이에요. 요즘 한국어를 공부하거든요.

女：그럼, 한국 노래 CD를 사 주면 어때요? 정말 좋아할 거예요.

男：그게 좋겠네요.

→ 女：週末には何をするつもりですか？
男：妹の誕生日プレゼントを買いにデパートへ行くつもりです。
女：妹は何歳ですか？
男：中学校3年生です。最近韓国語を勉強しているんです。
女：だったら、韓国の歌のCDを買ってあげたらどうですか？本当に喜ぶと思います。
男：それがよさそうですね。

【質問】 男性は女性の話を聞いてどうするでしょうか。 19

## 解　答

❶ ＣＤ를 살 겁니다.

→ ＣＤを買うでしょう。

② 한국어 공부를 할 겁니다.

→ 韓国語の勉強をするでしょう。

③ 한국 노래를 부를 겁니다.

→ 韓国の歌を歌うでしょう。

④ 좋아하는 가수의 콘서트에 갈 겁니다.

→ 好きな歌手のコンサートに行くでしょう。

3）男：주말에는 왜 아르바이트 안 하세요?

女：주말에는 꼭 산에 가거든요.

男：산에는 언제부터 다니셨어요?

女：10년 전부터요.

男：건강하신 이유가 있으셨네요.

女：다음에 같이 가시겠어요?

男：네, 좋습니다.

→ 男：週末にはどうしてアルバイトをしないんですか?
女：週末は必ず山へ行くからです。
男：山にはいつから行っていますか?
女：10年前からです。
男：お元気な理由がありましたね。
女：今度一緒に行きませんか?
男：はい、いいですね。

# 第52回 解答

【質問】 対話の内容と一致するものはどれですか。 20

❶ 두 사람은 다음에 같이 산에 갑니다.

→ 二人は今度一緒に山へ行きます。

② 여자는 주말에도 아르바이트를 합니다.

→ 女性は週末にもアルバイトをします。

③ 여자는 5년 전부터 산에 다닙니다.

→ 女性は5年前から山へ行っています。

④ 여자는 건강이 나빠서 산에 못 갑니다.

→ 女性は身体が悪くて山へ行けません。

解　答　（＊白ヌキ数字が正答番号）

# 筆記 問題と解答

**1** 発音どおり表記したものを①～④の中から１つ選びなさい。

1）이것만　→ これだけ　［1］

①［이검만］　❷［이건만］　③［이겅만］　④［이거만］

Point 鼻音化の問題。것の発音は[걷]で、終声の[ㄷ]にㄴ、ㅁが続くと、[ㄷ]が鼻音化して[ㄴ]に変化する。例）옛날[옏]＋[날]→[옌날]「昔」、콧물[콛]＋[물]→[콘물]「鼻水」。

2）번역해요　→ 翻訳します　［2］

❶［버녀캐요］　②［버녀개요］
③［버녀깨요］　④［벙여캐요］

Point 連音化と激音化の問題。번역は[버녁]と連音化する。終声の[ㄱ][ㄷ][ㅂ]の直後にㅎが来ると、それぞれに対応する激音[ㅋ][ㅌ][ㅍ]で発音される。よって、번역해は[버녀캐]になる。例）축하[추카]「祝賀」、못해요[몯]＋[해요]→[모태요]「出来ません」

3）십칠 년　→ 17年　［3］

❶［십칠련］　②［십친년］　③［심친년］　④［심칠련］

Point 流音化の問題。終声のㄹの後に初声ㄴが続く場合、または終声のㄴの後に初声ㄹが続く場合、ㄴはㄹで発音される。例）생일날[생일랄]「誕生日」、관리[괄리]「管理」。

4）발전　→ 発展　**4**

① [발천]　② [발썬]　③ [발선]　❹ [발쩐]

**Point** 漢字語の濃音化の問題。終声ㄹの後にㄷ、ㅅ、ㅈが続く場合、それぞれが濃音化して[ㄸ][ㅆ][ㅉ]となる。절대[절때]「絶対」、결정[결쩡]「決定」、출신[출씬]「出身」。

**2** 次の日本語の意味を正しく表記したものを①～④の中から1つ選びなさい。

1）箸　**5**

① 젇가락　❷ 젓가락　③ 적가락　④ 접가락

**Point** パッチムの綴りの問題。젓가락の젓のパッチムはㅅ、숟가락の숟のパッチムはㄷであることに気をつけること。가락は細長い棒状のものをさす。손가락「手の指」、발가락「足の指」。

2）計画　**6**

① 개획　② 게핵　❸ 계획　④ 계핵

**Point** 母音字の綴りの問題。개、게、계、걔などの綴りにも気を付けよう。게임「ゲーム」、시계「時計」、계단「階段」、찌개「チゲ」、야채「野菜」、체육「体育」など。

## 解 答

3）入りますね **7**

❶ 들어갈게요　② 드러갈게요
③ 들오갈께요　④ 둘어갈게요

Point 綴りと語尾の問題。들어가다「入る」に意志・約束の意の-(으)ㄹ게요「～しますからね、～しますよ」がついて들어갈게요になる。-아/어に-가다や-오다がつく例にも要注意。例)돌아가다「帰る」、돌아오다「帰ってくる」、들어가다「入る」、들어오다「入ってくる」、올라가다「上がる」、올라오다「上がってくる」。

4）最も **8**

① 카잔　② 가창　③ 까장　❹ 가장

**3** 次の日本語に当たるものを①～④の中から１つ選びなさい。

1）鏡 **9**

① 그림 → 絵　❷ 거울 → 鏡
③ 겨울 → 冬　④ 그릇 → 器

2）努力 **10**

① 역사 → 歴史　② 도착 → 到着

③ 달력 → カレンダー　❹ 노력 → 努力

3）悲しい　11

① 아프다 → 痛い
② 흐리다 → 曇る
❸ 슬프다 → 悲しい
④ 고프다 → (お腹が)空いている

4）ほとんど　12

① 매우 → とても　② 그대로 → そのまま
③ 바로 → 直ぐ　❹ 거의 → ほとんど

**Point** 副詞の問題。正解の④거의は「ほとんど」「ほぼ」「だいたい」という意味。아버지는 주말에 거의 집에 없어요「お父さんは週末にほとんど家にいません」。숙제는 거의 다 했어요「宿題はほぼ全部やりました」などのように使われる。

5）でも　13

① 그렇게 → そのように　❷ 그렇지만 → でも
③ 그런 → そんな　④ 그중 → その中

## 解　答

**4** (　　　)の中に入れるのに最も適切なものを①～④の中から1つ選びなさい。

1) 입학 시험 ( **14** )가 나왔습니다.
→ 入学試験の( **14** )が出ました。

❶ 결과 → 結果　　② 머리 → 頭
③ 사이 → 間　　④ 혼자 → 一人

2) 아침을 못 먹어서 힘이 ( **15** ).
→ 朝食を食べられなかったので、力が( **15** )。

① 강해요 → 強いです
❷ 안 나요 → 出ません
③ 좁아요 → 狭いです
④ 안 젊어요 → 若くないです

3) ( **16** ) 여름 휴가도 끝나고 내일부터 일해야 돼요.
→ ( **16** )夏休みも終わって、明日から仕事をしなければなりません。

① 자꾸 → しきりに　　❷ 이제 → もう
③ 무척 → 非常に　　④ 매우 → とても

**5** (　　　)の中に入れるのに最も適切なものを①～④の中から1つ選びなさい。

1) A : 점심은 보통 나가서 드세요?
B : 아뇨, 편의점에서 ( 17 )을 사서 혼자 먹어요.
→ A : 昼ご飯は普通出かけて(外で)召し上がりますか?
B : いいえ、コンビニで( 17 )を買って一人で食べます。

① 지갑 → 財布　　❷ 도시락 → 弁当
③ 돈 → お金　　④ 양복 → スーツ

2) A : 집에 안 가고 왜 여기 ( 18 ) 있어요?
B : 은희 씨를 기다리고 있어요.
→ A : 家に帰らないで、どうしてここに( 18 )いるんですか?
B : ウニさんを待っています。

① 믿고 → 信じて　　② 지내고 → 過ごして
❸ 앉아 → 座って　　④ 열려 → 開いて

**Point** 앉아 있다は座ろうとしていた動きは終わって座っている状態を表している。앉고 있다はまさに今座ろうとしながら座っている進行中の動作を表している。問題文では、座って待っているので앉아 있어요が正解である。

3) A : 한국까지 와서 왜 저를 안 만나고 ( 19 ) 갔어요?
B : 미안합니다. 다음에는 꼭 연락하겠습니다.
→ A : 韓国まで来てどうして私に会わずに( 19 )帰りましたか?

## 解 答

B：ごめんなさい。次回からは必ず連絡します。

① 역시 → やっぱり　② 아마 → おそらく
③ 아직까지 → いまだに　❹ 그냥 → そのまま

**Point** 그냥は「そのまま、ただ」。책상 위에 그냥 놓다「机の上にそのまま置く」、일요일에는 그냥 잠만 자요「日曜日には、ただ、寝てばかりです」、그냥 친구「ただの友達」のように使われる。

**6** 次の文の意味を変えずに、下線部の単語と置き換えが可能なものを①〜④の中から１つ選びなさい。

1）사장님은 회의를 마친 뒤 공항으로 가셨습니다.　20
→ 社長は会議を終えた後、空港へお行きになりました。

① 버린 → 捨てた　❷ 끝낸 → 終えた
③ 빌린 → 借りた　④ 나간 → 出かけた

2）우리 둘은 마음이 잘 통해요.　21
→ 私たち二人は心がよく通じます。

❶ 맞아요 → 合います　② 밝아요 → 明るいです
③ 넓어요 → 広いです　④ 가벼워요 → 軽いです

**Point** 통하다は「(言葉・意志などが)通じる」の意味で、말이 잘 통하다「言葉が通じる」、마음이 통하다「心が通じる」のように使われる。また、

마음이 맞다は「志(心)が一致する(合う)」の意味にもなる。

**7** 下線部の動詞、形容詞の辞書形(原形・基本形)として正しいものを①～④の中から1つ選びなさい。

1) 이 모자를 써 보세요. **22**
→ この帽子をかぶってみてください。

① 쓰다 → ×　② 써다 → ×
③ 싸다 → 安い　❹ 쓰다 → かぶる;書く;使う

2) 매우면 물이라도 드세요. **23**
→ 辛かったら水でも飲んでください。

① 매우다 → ×　② 매웁다 → ×
❸ 맵다 → 辛い　④ 매다 → 結ぶ(3級)

3) 부모님 말씀을 잘 들어야 합니다. **24**
→ ご両親のいうこと(お言葉)をよくきかなければなりません。

① 들다 → 持つ　② 들어다 → ×
❸ 듣다 → きく　④ 듯다 → ×

# 解　答

4）저는 가끔 한국 노래를 불러요.　　25

→ 私はたまに韓国の歌を歌います。

❶ 부르다　→ 歌う
② 불러다　→ ×
③ 불다　→ 吹く
④ 부리다　→（荷物を）下ろす（準2級）

5）그 집은 내가 지었어요.　　26

→ その家は僕が建てました。

① 지다　→ 負ける；背負う（3級）
② 진다　→ ×
❸ 짓다　→ 建てる
④ 지어다　→ ×

**Point**　「家を建てる」は집을 짓다といい、①の지다「負ける、背負う」ではない。짓다「建てる」はㅅ変格用言で、짓の後ろに아/어や으で始まる語尾がつくと、パッチムのㅅが脱落する。지어요「建てます」、지었어요「建てました」。

**8** (　　)の中に入れるのに適切なものを①～④の中から１つ選びなさい。

1）아까는 식사 중(　27　) 전화를 못 받았어요.
→ さっきは食事中(　27　)電話に出られませんでした。

① 으로 → ～に　　❷ 이라서 → ～なので
③ 에서 → ～で　　④ 처럼 → ～のように

**Point** 식사 중「食事中」の중は수업 중「授業中」、회의 중「会議中」のように「動作が行われている最中またはその間」を表す。-(이)라서は「～であるので、～なので、～だから」と原因・理由を表す。식사 중이라서は「食事中なので」の意になる。

2）내일은 늦잠을 (　28　) 괜찮습니다.
→ 明日は寝坊を(　28　)大丈夫です。

❶ 자도 → 寝ても(しても)　　② 자서 → 寝て
③ 자면 → 寝たら　　④ 자러 → 寝に

**Point** -{아/어}도 괜찮다/좋다は「～{して/であって}も大丈夫だ/良い」となり、자도 괜찮습니다「寝ても大丈夫です」になる。

3）A：꿈이 뭐예요?
B：저는 선생님(　29　) 되고 싶어요.
→ A：夢は何ですか?
B：私は先生(　29　)なりたいです。

## 解答

① 에 → ～に　　② 가 → ～が

❸ 이 → ～が　　④ 에게 → ～に

**Point** -가/이 되다の形で「～になる、～となる」の意となり、-되고 싶다の形で「～になりたい」の意になり、선생님이 되고 싶어요で「先生になりたいです」となる。

4）A：한국말은 언제 배웠어요?
　B：한국에（ 30 ）친구한테서 배웠어요.
→ A：韓国語はいつ学びましたか？
　B：韓国に（ 30 ）友達から学びました。

① 오는 사이에 → 来ている間に
② 오지 말고 → 来ないで
❸ 오기 전에 → 来る前に
④ 온 끝에 → 来た末に

**Point** -기 전(에)は、「～する前に」という表現。よって오기 전에は、「来る前に」となる。他に、-는 사이(에)「～する/している間(に)」、-지 말고「～せずに、～するのをやめて」、-(으)ㄴ 끝에「～した末に、～したあげく」も合わせて覚えよう。

**9** 次の場面や状況において最も適切なあいさつやあいづちなどの言葉を①～④の中から１つ選びなさい。

1）お酒の席でさかずきをかわすとき　31

① 축하드려요. → おめでとうございます。
② 뭘요. → とんでもございません。
③ 맞다. → あっ、そうだ。
❹ 건배！ → 乾杯！

2）はっきり答えられない時に用いる言葉 32

❶ 글쎄요. → さあ…、そうですね…。
② 됐어요. → 結構です。
③ 아이고. → あらっ/ああっ。
④ 그럼요. → もちろんですとも。

**10** 対話文を完成させるのに最も適切なものを①～④の中から1つ選びなさい。

1）A：선생님！ 어디까지 공부해야 돼요?
B：（ 33 ）
A：선생님！ 너무 많아요.
→ A：先生！ どこまで勉強しなければなりませんか？
B：（ 33 ）
A：先生！多すぎです。

## 解 答

❶ 시험 문제는 오늘 배운 데까지 나와요.

→ 試験問題は今日習ったところまで出ます。

② 그걸 아는 사람 있어요?

→ それを知っている人がいますか?

③ 그런 거는 내일 배우면 돼요.

→ そんなことは明日学べばいいです。

④ 공부는 안 해도 되잖아요.

→ 勉強はしなくてもいいじゃないですか。

2) A : 손님, 지금 입고 계신 옷에 이 구두는 어떠세요?

B : ( 34 )

A : 그럼요. 이쪽으로 오세요.

→ A : お客様、今着ていらっしゃる服にこの靴はいかがでしょうか?
B : ( 34 )
A : もちろんです。こちらへどうぞ。

① 어디서 입어 볼까요?

→ どこで着てみましょうか?

❷ 한번 신어 봐도 돼요?

→ 一度履いてみてもいいですか?

③ 아까 해 봤어요.

→ さっきやってみました。

④ 여기서 써 볼게요.

→ ここで使ってみますね。

3）A：이거 좀 봐요! 우리가 처음 같이 찍은 사진 맞죠?
B：（ 35 ）
A：제 방에서 찾았어요.
→ A：ちょっとこれを見てください！　私たちが初めて一緒に撮った写真ですよね？
B：（ 35 ）
A：私の部屋で見つけました。

① 또 찍으면 안 돼요?
→ また、撮ったらダメですか？
② 그때 왜 만났어요?
→ その時どうして会いましたか？
③ 저한테도 한 장 주세요.
→ 私にも一枚ください。
❹ 그게 어디서 나왔어요?
→ それ、どこから出てきましたか？

4）A：아침부터 뭐 기분 좋은 일 있어요?
B：（ 36 ）
A：정말이에요? 축하드려요.
→ A：朝から何か嬉しいことがあるんですか？
B：（ 36 ）
A：本当ですか？おめでとうございます。

## 解 答

① 어제는 계속 일이 많아서 힘들었어요.

→ 昨日はずっと仕事が多くて大変でした。

② 아뇨, 아침부터 일만 했거든요.

→ いいえ、朝から仕事ばかりしました。

❸ 어제 남자 친구하고 결혼 약속을 했거든요.

→ 昨日ボーイフレンドと結婚の約束をしたんですよ。

④ 네, 어제 남자 친구를 못 만났어요.

→ はい、昨日、ボーイフレンドに会えませんでした。

**11** 文章を読んで、問いに答えなさい。

저는 3년 전에 한국에 왔습니다. 처음에는 음식도 안 맞고 집도 돈도 아는 사람도 없었습니다. 집은 학교에서 소개해 주었습니다. 그리고 아르바이트를 해서 돈을 좀 모았습니다. 지금은 음식도 입에 맞고 친구도 많이 생겼습니다. ( 37 ) 쉬는 날에는 친구들과 한국 식당에 가서 맛있는 요리를 먹는 것이 제 취미가 됐습니다.

**【日本語訳】**

私は3年前に韓国に来ました。最初は食べ物も口に合わず、家もお金も知り合いもいませんでした。家は学校から紹介してもらいました。そして、アルバイトをしてお金を少し貯めました。今は食べ物も口に合うし、友達もたくさんできました。( 37 )休みの日には、友達と韓国の食堂に行って、おいしい料理を食べることが私の趣味になりました。

【問１】（ 37 ）に入れるのに適切なものを①～④の中から１つ選びなさい。 37

① 그러나 → しかし
❷ 그래서 → それで
③ 하지만 → だけど
④ 그런데 → ところで

【問２】本文の内容と一致するものを①～④の中から１つ選びなさい。 38

① 지난해부터 한국에 살고 있습니다.
→ 昨年から韓国に住んでいます。

② 친구와 같이 아르바이트를 하고 있습니다.
→ 友達と一緒にアルバイトをしています。

❸ 한국 음식이 맛있어서 식당에 자주 갑니다.
→ 韓国の食べ物がおいしくて食堂にしょっちゅう行っています。

④ 집은 제가 찾았습니다.
→ 家は私が探しました。

## 解　答

**12** 対話文を読んで、問いに答えなさい。

은희 : 준수 씨는 하루에 커피를 몇 잔 정도 먹어요?
준수 : 집에 있을 때는 두 잔 정도 마셔요.
은희 : 카페 같은 데에는 자주 가요?
준수 : 네, 집 근처에 있는 커피숍에 많이 가요.
거기서 커피도 마시고 공부도 하거든요.
은희 : 커피숍에서 공부가 잘돼요?
준수 : 음악도 나오고 사람도 많지만, ( 39 ) 잘돼요.

**【日本語訳】**

ウ　ニ : ジュンスさんは一日にコーヒーを何杯くらい飲みますか?
ジュンス : 家にいる時は2杯くらい飲みます。
ウ　ニ : カフェのようなところにはよく行きますか?
ジュンス : はい、家の近くにあるコーヒーショップによく行きます。そこでコーヒーも飲んで勉強もしているんです。
ウ　ニ : コーヒーショップで勉強ができますか?
ジュンス : 音楽も流れて、人も多いんですが、( 39 )よくできます。

# 第52回 解答

【問1】 ( 39 )に入れるのに適切なものを①～④の中から1つ選びなさい。 39

❶ 생각보다 → 思ったより
② 은희 씨 말처럼 → ウニさんの言葉のように、おっしゃる通り
③ 콘서트같이 → コンサートのように
④ 전혀 → 全然

【問2】 対話文の内容と一致するものを①～④の中から1つ選びなさい。 40

① 준수 씨는 집에서는 커피를 안 마십니다.
→ ジュンスさんは家ではコーヒーを飲みません。
② 준수 씨는 음악을 들으러 커피숍에 갑니다.
→ ジュンスさんは音楽を聴きにコーヒーショップへ行きます。
❸ 준수 씨는 커피숍에서 공부도 합니다.
→ ジュンスさんはコーヒーショップで勉強もします。
④ 준수 씨는 커피를 마시면 공부를 못 합니다.
→ ジュンスさんはコーヒーを飲むと勉強が出来ません。

正答と配点

# 4級聞きとり 正答と配点

●40点満点

| 問題 | 設問 | マークシート番号 | 正　答 | 配　点 |
|---|---|---|---|---|
| 1 | 1) | 1 | ③ | 2 |
| | 2) | 2 | ② | 2 |
| | 3) | 3 | ④ | 2 |
| 2 | 1) | 4 | ① | 2 |
| | 2) | 5 | ② | 2 |
| | 3) | 6 | ③ | 2 |
| | 4) | 7 | ④ | 2 |
| 3 | 1) | 8 | ① | 2 |
| | 2) | 9 | ② | 2 |
| | 3) | 10 | ③ | 2 |
| | 4) | 11 | ③ | 2 |
| | 5) | 12 | ④ | 2 |
| 4 | 1) | 13 | ② | 2 |
| | 2) | 14 | ① | 2 |
| | 3) | 15 | ③ | 2 |
| | 4) | 16 | ② | 2 |
| | 5) | 17 | ④ | 2 |
| 5 | 1) | 18 | ② | 2 |
| | 2) | 19 | ① | 2 |
| | 3) | 20 | ① | 2 |
| 合　計 | | | | 40 |

# 4級筆記　正答と配点

●60点満点

| 問題 | 設問 | マークシート番号 | 正答 | 配点 |
|---|---|---|---|---|
| 1 | 1) | 1 | ② | 1 |
| | 2) | 2 | ① | 1 |
| | 3) | 3 | ① | 1 |
| | 4) | 4 | ④ | 1 |
| 2 | 1) | 5 | ② | 1 |
| | 2) | 6 | ③ | 1 |
| | 3) | 7 | ① | 1 |
| | 4) | 8 | ④ | 1 |
| 3 | 1) | 9 | ② | 1 |
| | 2) | 10 | ④ | 1 |
| | 3) | 11 | ③ | 1 |
| | 4) | 12 | ④ | 1 |
| | 5) | 13 | ② | 1 |
| 4 | 1) | 14 | ① | 2 |
| | 2) | 15 | ② | 2 |
| | 3) | 16 | ② | 2 |
| 5 | 1) | 17 | ② | 2 |
| | 2) | 18 | ③ | 2 |
| | 3) | 19 | ④ | 2 |
| 6 | 1) | 20 | ② | 2 |
| | 2) | 21 | ① | 2 |

| 問題 | 設問 | マークシート番号 | 正答 | 配点 |
|---|---|---|---|---|
| 7 | 1) | 22 | ④ | 1 |
| | 2) | 23 | ③ | 1 |
| | 3) | 24 | ③ | 1 |
| | 4) | 25 | ① | 1 |
| | 5) | 26 | ③ | 1 |
| 8 | 1) | 27 | ② | 2 |
| | 2) | 28 | ① | 2 |
| | 3) | 29 | ③ | 2 |
| | 4) | 30 | ③ | 2 |
| 9 | 1) | 31 | ④ | 1 |
| | 2) | 32 | ① | 1 |
| 10 | 1) | 33 | ① | 2 |
| | 2) | 34 | ② | 2 |
| | 3) | 35 | ④ | 2 |
| | 4) | 36 | ③ | 2 |
| 11 | 問1 | 37 | ② | 2 |
| | 問2 | 38 | ③ | 2 |
| 12 | 問1 | 39 | ① | 2 |
| | 問2 | 40 | ③ | 2 |
| 合　計 | | | | 60 |

# 4級

聞きとり　20問/30分
筆　　記　40問/60分

## 2019年 秋季 第53回
# 「ハングル」能力検定試験

【試験前の注意事項】
1）監督の指示があるまで、問題冊子を開いてはいけません。
2）聞きとり試験中に筆記試験の問題部分を見ることは不正行為となるので、充分ご注意ください。
3）この問題冊子は試験終了後に持ち帰ってください。
マークシートを教室外に持ち出した場合、試験は無効となります。
※CD 3などの番号はＣＤのトラックナンバーです。

【マークシート記入時の注意事項】
1）マークシートへの記入は「記入例」を参照し、ＨＢ以上の黒鉛筆またはシャープペンシルではっきりとマークしてください。ボールペンやサインペンは使用できません。
訂正する場合、消しゴムで丁寧に消してください。
2）氏名、受験地、受験地コード、受験番号、生まれ月日は、もれのないよう正しくマークし、記入してください。
3）マークシートにメモをしてはいけません。メモをする場合は、この問題冊子にしてください。
4）マークシートを汚したり、折り曲げたりしないでください。

※試験の解答速報は、11月10日の試験終了後、協会公式ＨＰにて公開します。
※試験結果や採点について、お電話でのお問い合わせにはお答えできません。


**◆次回 2020年 春季 第54回検定：6月7日（日）実施◆**

# 第53回 マークシート

## 「ハングル」能力検定試験

### 個人情報欄 ※必ずご記入ください

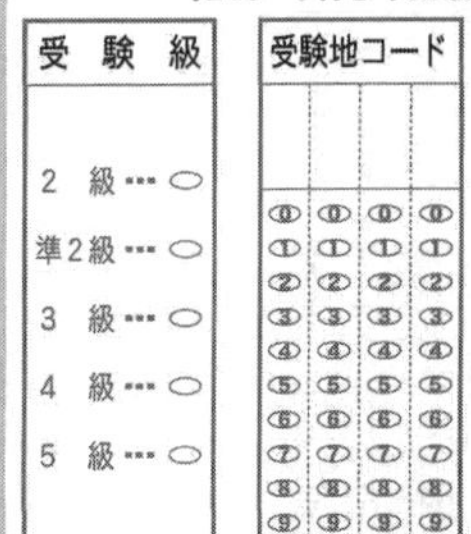

| 受験級 | 受験地コード | 受験番号 | 生まれ月日 |
|---|---|---|---|
| 2 級 … ○<br>準2級 … ○<br>3 級 … ○<br>4 級 … ○<br>5 級 … ○ | ⓪〜⑨ ×4 | ⓪〜⑨ ×4 | 月 ⓪①, ⓪〜⑨ / 日 ⓪〜③, ⓪〜⑨ |

| 氏名 | 見本 |
|---|---|
| 受験地 | |

(記入心得)
1. ＨＢ以上の黒鉛筆またはシャープペンシルを使用してください。（ボールペン・マジックは使用不可）
2. 訂正するときは、消しゴムで完全に消してください。
3. 枠からはみ出さないように、ていねいに塗りつぶしてください。

(記入例)解答が「1」の場合

良い例 ● ② ③ ④

悪い例 レ点 線 バッテン 点 うすい

### 聞きとり

|  | | | | |
|---|---|---|---|---|
| 1 | ① | ② | ③ | ④ |
| 2 | ① | ② | ③ | ④ |
| 3 | ① | ② | ③ | ④ |
| 4 | ① | ② | ③ | ④ |
| 5 | ① | ② | ③ | ④ |
| 6 | ① | ② | ③ | ④ |
| 7 | ① | ② | ③ | ④ |
| 8 | ① | ② | ③ | ④ |
| 9 | ① | ② | ③ | ④ |
| 10 | ① | ② | ③ | ④ |
| 11 | ① | ② | ③ | ④ |
| 12 | ① | ② | ③ | ④ |
| 13 | ① | ② | ③ | ④ |
| 14 | ① | ② | ③ | ④ |
| 15 | ① | ② | ③ | ④ |
| 16 | ① | ② | ③ | ④ |
| 17 | ① | ② | ③ | ④ |
| 18 | ① | ② | ③ | ④ |
| 19 | ① | ② | ③ | ④ |
| 20 | ① | ② | ③ | ④ |

### 筆　記

|  | | | | |
|---|---|---|---|---|
| 1 | ① | ② | ③ | ④ |
| 2 | ① | ② | ③ | ④ |
| 3 | ① | ② | ③ | ④ |
| 4 | ① | ② | ③ | ④ |
| 5 | ① | ② | ③ | ④ |
| 6 | ① | ② | ③ | ④ |
| 7 | ① | ② | ③ | ④ |
| 8 | ① | ② | ③ | ④ |
| 9 | ① | ② | ③ | ④ |
| 10 | ① | ② | ③ | ④ |
| 11 | ① | ② | ③ | ④ |
| 12 | ① | ② | ③ | ④ |
| 13 | ① | ② | ③ | ④ |
| 14 | ① | ② | ③ | ④ |
| 15 | ① | ② | ③ | ④ |
| 16 | ① | ② | ③ | ④ |
| 17 | ① | ② | ③ | ④ |
| 18 | ① | ② | ③ | ④ |
| 19 | ① | ② | ③ | ④ |
| 20 | ① | ② | ③ | ④ |
| 21 | ① | ② | ③ | ④ |
| 22 | ① | ② | ③ | ④ |
| 23 | ① | ② | ③ | ④ |
| 24 | ① | ② | ③ | ④ |
| 25 | ① | ② | ③ | ④ |
| 26 | ① | ② | ③ | ④ |
| 27 | ① | ② | ③ | ④ |
| 28 | ① | ② | ③ | ④ |
| 29 | ① | ② | ③ | ④ |
| 30 | ① | ② | ③ | ④ |
| 31 | ① | ② | ③ | ④ |
| 32 | ① | ② | ③ | ④ |
| 33 | ① | ② | ③ | ④ |
| 34 | ① | ② | ③ | ④ |
| 35 | ① | ② | ③ | ④ |
| 36 | ① | ② | ③ | ④ |
| 37 | ① | ② | ③ | ④ |
| 38 | ① | ② | ③ | ④ |
| 39 | ① | ② | ③ | ④ |
| 40 | ① | ② | ③ | ④ |

41問～50問は2級のみ解答

|  | | | | |
|---|---|---|---|---|
| 41 | ① | ② | ③ | ④ |
| 42 | ① | ② | ③ | ④ |
| 43 | ① | ② | ③ | ④ |
| 44 | ① | ② | ③ | ④ |
| 45 | ① | ② | ③ | ④ |
| 46 | ① | ② | ③ | ④ |
| 47 | ① | ② | ③ | ④ |
| 48 | ① | ② | ③ | ④ |
| 49 | ① | ② | ③ | ④ |
| 50 | ① | ② | ③ | ④ |

K12516T 110kg

ハングル能力検定協会

## 問題

# 聞きとり問題

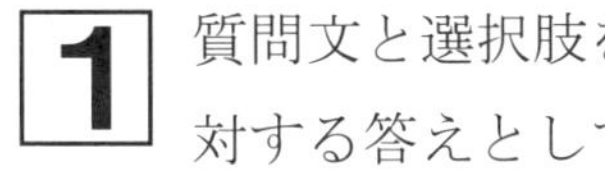

質問文と選択肢を２回ずつ読みます。絵を見て、【質問】に対する答えとして適切なものを①〜④の中から１つ選んでください。解答はマークシートの１番〜３番にマークしてください。

(空欄はメモをする場合にお使いください)　〈2点×3問〉

CD33

１）【質問】 ________________________ 1

① ________________________

② ________________________

③ ________________________

④ ________________________

CD34

2）【質問】　＿＿＿＿＿＿＿＿＿＿　**2**

①＿＿＿＿＿＿＿＿＿＿

②＿＿＿＿＿＿＿＿＿＿

③＿＿＿＿＿＿＿＿＿＿

④＿＿＿＿＿＿＿＿＿＿

## 問　題

CD35

3）【質問】 ------------------------------------------ 3

①------------------------------------------------

②------------------------------------------------

③------------------------------------------------

④------------------------------------------------

# 第53回 問題

CD36

**2** 短い文と選択肢を２回ずつ読みます。文の内容に合うものを①～④の中から１つ選んでください。解答はマークシートの４番～７番にマークしてください。
（空欄はメモをする場合にお使いください）　〈2点×4問〉

CD37

1）＿＿＿＿＿＿＿＿＿＿＿＿＿＿＿＿＿＿＿＿　**4**

①＿＿＿＿　②＿＿＿＿　③＿＿＿＿　④＿＿＿＿

CD38

2）＿＿＿＿＿＿＿＿＿＿＿＿＿＿＿＿＿＿＿＿　**5**

①＿＿＿＿　②＿＿＿＿　③＿＿＿＿　④＿＿＿＿

CD39

3）＿＿＿＿＿＿＿＿＿＿＿＿＿＿＿＿＿＿＿＿　**6**

①＿＿＿＿　②＿＿＿＿　③＿＿＿＿　④＿＿＿＿

## 問　題

CD40

4 ) ________________________________ 7

①________ ②________ ③________ ④________

問　題

CD41

**3** 問いかけなどの文を２回読みます。その応答文として適切なものを①～④の中から１つ選んでください。解答はマークシートの８番～12番にマークしてください。
(空欄はメモをする場合にお使いください)　〈2点×5問〉

CD42

1）________________　**8**

① 눈이 예쁘지요.
② 배가 좀 아파요.
③ 마음이 넓어요.
④ 이 자리에 앉으시죠.

CD43

2）________________　**9**

① 왜 돈을 안 받으려고 하세요?
② 전화번호를 다시 가르쳐 주세요.
③ 김밥은 다 팔았습니다.
④ 더 깎아 주세요.

## 問　題



CD44

3）＿＿＿＿＿＿＿＿＿＿＿＿＿＿＿＿＿＿＿＿ 10

① 오늘은 시간이 없거든요.

② 그렇게 배 고파요?

③ 좋죠. 뭐 볼까요?

④ 벌써 극장에 도착했어요?

CD45

4）＿＿＿＿＿＿＿＿＿＿＿＿＿＿＿＿＿＿＿＿ 11

① 아니에요. 저는 인기가 없어요.

② 그래요? 수고 많으셨어요.

③ 미안해요. 제가 잘못했어요.

④ 무슨 말씀을요. 아직 멀었습니다.

CD46

5）＿＿＿＿＿＿＿＿＿＿＿＿＿＿＿＿＿＿＿＿ 12

① 네, 잘 들려요.

② 여기서 뛰면 안 돼요.

③ 아뇨, 저는 술을 못 마셔요.

④ 지금 자리에 없습니다.

# 第53回 問題

CD47

## 4

文章もしくは対話文を2回読みます。その内容と一致するものを①～④の中から1つ選んでください。解答はマークシートの13番～17番にマークしてください。
(空欄はメモをする場合にお使いください)　〈2点×5問〉

CD48

1）--------------------------------------------------------------------------
-------------------------------------------------------------------------- 13

① 会社は家から近いです。
② 私は引っ越したいです。
③ 通勤は大変ではありません。
④ 自転車で通勤しています。

CD49

2）--------------------------------------------------------------------------
-------------------------------------------------------------------------- 14

① 卒業後に留学する予定です。
② 中国の大学を卒業したいです。
③ 子どもの時から中国の文化に興味がありました。
④ 文学が好きです。

## 問　題



CD50

3）------------------------------------------------------------

------------------------------------------------------------ 15

① 船の中で韓国人と知り合いました。

② 10年前に韓国に行きました。

③ 韓国の友達から連絡がありません。

④ 韓国の友達は元気です。

CD51

4）男：------------------------------------------------------------

女：------------------------------------------------------------

男：------------------------------------------------------------ 16

① 二人は一緒に夕食を食べました。

② 女性は急いでいます。

③ 二人は同じ授業を取っています。

④ 今は授業中です。

問　題

CD52

5）男：＿＿＿＿＿＿＿＿＿＿＿＿＿＿＿＿＿＿＿＿＿＿＿＿

女：＿＿＿＿＿＿＿＿＿＿＿＿＿＿＿＿＿＿＿＿＿＿＿＿

男：＿＿＿＿＿＿＿＿＿＿＿＿＿＿＿＿＿＿＿＿＿＿＿＿

女：＿＿＿＿＿＿＿＿＿＿＿＿＿＿＿＿＿＿＿＿＿＿＿＿

男：＿＿＿＿＿＿＿＿＿＿＿＿＿＿＿＿＿＿＿＿＿＿＿＿

女：＿＿＿＿＿＿＿＿＿＿＿＿＿＿＿＿＿＿＿＿＿＿＿＿　17

① 二人は同じ趣味を持っています。

② 女性は、絵には興味がありません。

③ 女性は休日をたいてい家で過ごします。

④ 二人は一緒に絵を見に行ったことがあります。

## 問　題



CD53

対話文を２回読みます。引き続き選択肢も２回ずつ読みます。【質問】に対する答えとして適切なものを①～④の中から１つ選んでください。解答はマークシートの18番～20番にマークしてください。

（空欄はメモをする場合にお使いください）　〈2点×3問〉

CD54

１）男：＿＿＿＿＿＿＿＿＿＿＿＿＿＿＿＿

　　女：＿＿＿＿＿＿＿＿＿＿＿＿＿＿＿＿

　　男：＿＿＿＿＿＿＿＿＿＿＿＿＿＿＿＿

　　女：＿＿＿＿＿＿＿＿＿＿＿＿＿＿＿＿

　　男：＿＿＿＿＿＿＿＿＿＿＿＿＿＿＿＿

【質問】　ここはどこですか。　18

①＿＿＿＿＿＿＿＿　②＿＿＿＿＿＿＿＿

③＿＿＿＿＿＿＿＿　④＿＿＿＿＿＿＿＿

問題

CD56

2）女：＿＿＿＿＿＿＿＿＿＿＿＿＿＿＿＿＿＿＿＿

男：＿＿＿＿＿＿＿＿＿＿＿＿＿＿＿＿＿＿＿＿

女：＿＿＿＿＿＿＿＿＿＿＿＿＿＿＿＿＿＿＿＿

男：＿＿＿＿＿＿＿＿＿＿＿＿＿＿＿＿＿＿＿＿

女：＿＿＿＿＿＿＿＿＿＿＿＿＿＿＿＿＿＿＿＿

【質問】 男性について当てはまるのは何番ですか。 **19**

①＿＿＿＿＿＿＿＿＿＿＿＿＿＿＿＿＿＿＿＿

②＿＿＿＿＿＿＿＿＿＿＿＿＿＿＿＿＿＿＿＿

③＿＿＿＿＿＿＿＿＿＿＿＿＿＿＿＿＿＿＿＿

④＿＿＿＿＿＿＿＿＿＿＿＿＿＿＿＿＿＿＿＿

CD58

3）男：＿＿＿＿＿＿＿＿＿＿＿＿＿＿＿＿＿＿＿＿

女：＿＿＿＿＿＿＿＿＿＿＿＿＿＿＿＿＿＿＿＿

男：＿＿＿＿＿＿＿＿＿＿＿＿＿＿＿＿＿＿＿＿

女：＿＿＿＿＿＿＿＿＿＿＿＿＿＿＿＿＿＿＿＿

男：＿＿＿＿＿＿＿＿＿＿＿＿＿＿＿＿＿＿＿＿

女：＿＿＿＿＿＿＿＿＿＿＿＿＿＿＿＿＿＿＿＿

## 問　題

【質問】 対話の内容と一致するものはどれですか。 **20**

①
②
③
④

# 筆記問題

## 1

発音どおり表記したものを①～④の中から１つ選びなさい。
(マークシートの１番～４番を使いなさい)　〈1点×4問〉

1）끝내요　**1**

①［끄내요］　②［끈내요］　③［끔내요］　④［끙내요］

2）못해요　**2**

①［모태요］　②［모새요］　③［모때요］　④［모대요］

3）같이　**3**

①［가치］　②［가티］　③［가찌］　④［가디］

4）끓을 거예요　**4**

①［끄늘커에요］　②［끄늘꺼에요］
③［끄흘거에요］　④［끄을꺼에요］

## 問　題

## 2

次の日本語の意味を正しく表記したものを①～④の中から1つ選びなさい。
(マークシートの５番～８番を使いなさい)　〈1点×4問〉



1）島　**5**

① 솜　② 성　③ 섬　④ 손

2）漫画(まんが)　**6**

① 만가　② 만과　③ 만하　④ 만화

3）落ちました　**7**

① 떨어졌어요　② 떠러졌어요
③ 털어졌어요　④ 터러졌어요

4）急に　**8**

① 갑자기　② 갑차기　③ 각자기　④ 갇차기

**3** 次の日本語に当たるものを①～④の中から１つ選びなさい。
(マークシートの９番～13番を使いなさい)　〈1点×5問〉

1）米 [9]

①쌀　②김　③귤　④무

2）職業 [10]

①소개　②수건　③지갑　④직업

3）召し上がります [11]

①잡으십니다　②잡수십니다
③주무십니다　④싸우십니다

4）たぶん [12]

①아마　②이제　③우선　④잠시

5）新しい [13]

①저런　②이런　③모든　④새

**4** (　　　)の中に入れるのに最も適切なものを①～④の中から１つ選びなさい。
(マークシートの14番～16番を使いなさい)　〈2点×3問〉

1) 친구 결혼식이 있어서 ( **14** ) 한 벌 샀습니다.

① 케이크를　② 자전거를　③ 콜라를　④ 양복을

2) 여기서 담배를 ( **15** ) 안 됩니다.

① 피우면　② 자라면　③ 늘면　④ 달리면

3) 내일 두 시에 ( **16** ) 오세요.

① 꼭　② 겨우　③ 어서　④ 얼마

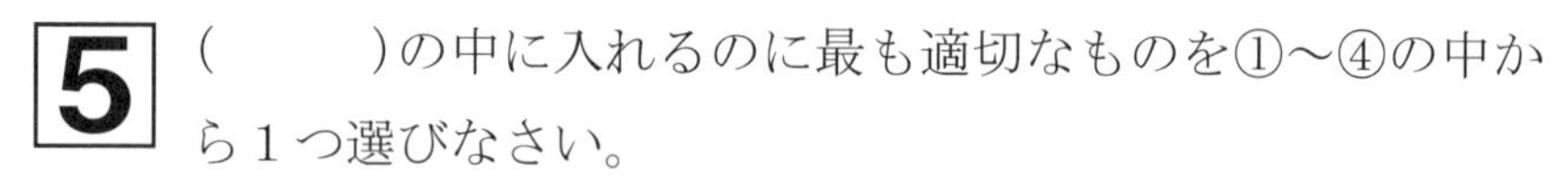

**5** （　　）の中に入れるのに最も適切なものを①～④の中から１つ選びなさい。
（マークシートの17番～19番を使いなさい）　〈2点×3問〉

1）A：선생님（ 17 ）어디세요?
B：저요? 저는 학교 근처에 살아요.

① 접시가　② 우산이　③ 성함이　④ 댁이

2）A：방이 좀 어둡네요. 불 좀（ 18 ）주시겠어요?
B：네, 알겠습니다.

① 켜　② 꺼　③ 지켜　④ 풀어

3）A：김현철 선생님 바꿔 주시겠습니까?
B：네,（ 19 ）기다리세요.

① 잠깐만　② 자꾸　③ 아까　④ 일찍

## 問　題

**6** 次の文の意味を変えずに、下線部の言葉と置き換えが可能なものを①～④の中から１つ選びなさい。
(マークシートの20番～21番を使いなさい)　〈2点×2問〉



1）저는 <u>독서가 취미입니다</u>.　**20**

① 책을 읽는 것을 좋아합니다
② 소설을 잘 씁니다
③ 공부를 잘합니다
④ 소설가가 꿈입니다

2）그 사람이 한 <u>말이 기억이 나지 않습니다</u>.　**21**

① 말이 달라졌습니다
② 말을 잊어버렸습니다
③ 말이 기억에 남아 있습니다
④ 말을 모았습니다

問題

**7** 下線部の動詞、形容詞の辞書形(原形・基本形)として正しいものを①～④の中から１つ選びなさい。
(マークシートの22番～26番を使いなさい)　〈1点×5問〉

1) 혼자 슬퍼서 울었습니다.　22

① 슬프다　② 슬퍼서다　③ 슬퍼다　④ 슬푸다

2) 아름다운 밤이네요.　23

① 아름다우다　② 아름다
③ 아름답다　④ 아름다웁다

3) 아침에 걸으면 기분이 좋아요.　24

① 걷다　② 걸으다　③ 거르다　④ 걸다

4) 강이 서쪽에서 동쪽으로 흘러요.　25

① 흐러다　② 흘르다　③ 흘러다　④ 흐르다

5）감기가 <u>나으면</u> 다시 운동할 거예요.　26

① 나으다　② 나다　③ 낫다　④ 낳다

**8** (　　)の中に入れるのに適切なものを①～④の中から1つ選びなさい。
(マークシートの27番～30番を使いなさい)　〈2点×4問〉

1) 저에게는 이 길( **27** ) 없습니다.

① 처럼　② 에게　③ 밖에　④ 한테

2) 내년에 유학을 ( **28** ) 생각입니다.

① 갔던　② 간　③ 가는　④ 갈

3) A : 누가 그런 말을 했어요?
B : 선생님( **29** ) 그렇게 말씀하셨어요.

① 께　② 께서　③ 에게서　④ 에

4) A : 콘서트가 시작되기 전에 밥 먹을까요?
B : 시간이 없어요. ( **30** ) 먹죠.

① 끝난 뒤에　② 끝난 이상
③ 끝나기 때문에　④ 끝나지 않고

**9** 次の場面や状況において最も適切なあいさつやあいづちなどの言葉を①～④の中から１つ選びなさい。
(マークシートの31番～32番を使いなさい)　〈1点×2問〉



1）目上の人の誕生日を祝うとき　31

① 새해 복 많이 받으십시오.　② 축하드립니다.
③ 수고하십니다.　④ 감사드립니다.

2）食べ物を勧められて、断るとき　32

① 글쎄요.　② 잘 먹겠습니다.
③ 참.　④ 됐어요.

**10** 対話文を完成させるのに最も適切なものを①～④の中から1つ選びなさい。
(マークシートの33番～36番を使いなさい) 〈2点×4問〉

1) A：손님, 뭘 찾으세요?
B：( 33 )
A：네. 싸게 해 드릴게요.

① 여자아이 옷 좀 보여 주세요.
② 머리를 짧게 해 주세요.
③ 돈을 찾았어요.
④ 신세 많이 졌습니다.

2) A：할아버지 연세가 어떻게 되세요?
B：( 34 )
A：우리 할아버지하고 같으시네요.

① 저도 그걸 알고 싶었어요.
② 그걸 모르는 사람은 없을 거예요.
③ 일흔이세요.
④ 나이를 물으면 실례가 되지요.

3) A：다 모였습니까?

B：( **35** )

A：시간이 지났으니까 기다리지 말고 회의를 시작합시다.

① 네, 모두 왔어요.

② 두 사람이 아직 안 왔어요.

③ 늦어서 죄송합니다.

④ 나이가 들었습니다.

4) A：이 과자 좀 먹어 봐요.

B：( **36** )

A：아뇨, 산 거예요.

① 맛이 어때요?

② 미현 씨가 만들었어요?

③ 미현 씨도 먹어 봐요.

④ 저 때문에 사 왔어요?

**11** 文章を読んで、問いに答えなさい。
(マークシートの37番〜38番を使いなさい)　〈2点×2問〉

미키 씨에게
　미키 씨가 한국에 와서 정말 기뻐요. 함께 얘기를 나누는 게 재미있어요. 미키 씨한테 배운 것도 많아요. 다음 주 토요일 저녁에 ( 37 ) 우리 집에 와 주면 좋겠어요. 사실은 제 스물네 번째 생일이거든요. 엄마하고 맛있는 것 많이 만들 거예요. 먹고 싶은 게 있으면 말해요. 엄마도 미키 씨를 보고 싶어 해요. 그럼 기다릴게요.

윤아가

【問1】 ( 37 )に入れるのに適切でないものを①〜④の中から1つ選びなさい。 37

① 부모님이 집에 안 계시니까
② 식사하러
③ 시간이 되면
④ 아르바이트하지 말고

## 問　題

【問２】 本文の内容と一致するものを①～④の中から１つ選びなさい。 **38**

① 미키는 윤아에게 좋은 친구입니다.
② 윤아는 지금 22세입니다.
③ 윤아는 미키를 한국에 부르려고 합니다.
④ 미키는 일본에 돌아갔습니다.

**12** 対話文を読んで、問いに答えなさい。
(マークシートの39番～40番を使いなさい)　〈2点×2問〉

준수 : 와, 가방이 많네요. 주세요. 제가 들게요.
유코 : 그럼 이거 하나만 들어 주시겠어요?
준수 : 그냥 다 주세요. 무겁잖아요. ( 39 ) 이게 다 뭐예요?
유코 : 책이에요. 지난번에 서울에 여행을 왔을 때 못 샀거든요.
준수 : 많이 샀네요. 이걸 다 지금 일본까지 가져가려고요?
유코 : 집으로 보내려고 했지만 우체국에 갈 시간이 없었거든요.

【問1】( 39 )に入れるのに適切なものを①～④の中から1つ選びなさい。 39

① 그러나　② 그런데
③ 그래서　④ 그렇지만

【問２】 本文の内容と一致するものを①～④の中から１つ選びなさい。 40

① 유코는 책을 두고 가야 합니다.
② 유코는 우체국에서 책을 보냈습니다.
③ 가방은 전혀 무겁지 않습니다.
④ 두 사람은 지금 한국에 있습니다.

# 第53回 解　答

（＊白ヌキ数字が正答番号）

## 聞きとり 問題と解答

これから4級の聞きとりテストを行います。選択肢①～④の中から解答を1つ選び、マークシートの指定された欄にマークしてください。どの問題もメモをする場合は問題冊子の空欄にしてください。マークシートにメモをしてはいけません。では始めます。

**1** 質問文と選択肢を２回ずつ読みます。絵を見て、【質問】に対する答えとして適切なものを①～④の中から1つ選んでください。解答はマークシートの１番～３番にマークしてください。次の問題に移るまでの時間は35秒です。

1）【質問】 이 사람은 무엇을 하고 있습니까?　　1

→ この人は何をしていますか？

❶ 도장을 찍고 있습니다.　→ はんこを押しています。

## 解　答

② 이를 닦고 있습니다.　　→ 歯をみがいています。

③ 탁구를 치고 있습니다.　→ 卓球をしています。

④ 세수하고 있습니다.　　→ 顔を洗っています。

**Point** ①の도장は漢字で〈図章〉と表記し、「はんこ」「印(いん)」を意味する。「スタンプを押す」は스탬프를 찍다。사진을 찍다は、「写真を撮る」である。③の치다「打つ／弾く」は、道具で球を打つ競技を「する」という意味である。例：테니스를 치다「テニスをする」。치다にはまた、楽器をたたいたり、弦をはじいたりして「演奏する」という意味もある。例：피아노를 치다「ピアノを弾く」、기타를 치다「ギターを弾く」。



2）【質問】 그림에 맞는 설명은 몇 번입니까? 

→ 絵に合う説明は何番ですか？

① 머리를 다쳤습니다.　→ 頭をけがしました。

❷ 걷지 못합니다.　　→ 歩けません。

③ 서 있습니다.　　　→ 立っています。

④ 잠이 들었습니다.　→ 眠りにつきました。

Point ②語幹－지 못하다は「～できない」。③自動詞の語幹－아/어 있다は、「～した状態である」。例：앉아 있다「座っている」、문이 열려 있다「ドアが開いている」。④の잠は、자다「寝る」の名詞形「眠り／寝ること」である。

3）【質問】 그림에 맞는 설명은 몇 번입니까？ 3

→ 絵に合う説明は何番ですか？

① 하늘에 아무것도 보이지 않습니다.

→ 空に何も見えません。

❷ 달과 별이 보입니다.

→ 月と星が見えます。

③ 지금은 낮입니다.

→ 今は昼です。

④ 날이 밝았습니다.

→ 夜が明けました。

# 解　答

**2** 短い文と選択肢を２回ずつ読みます。文の内容に合うものを①～④の中から１つ選んでください。解答はマークシートの４番～７番にマークしてください。次の問題に移るまでの時間は20秒です。

1）이것으로 김치를 만듭니다.　**4**

→ これでキムチを作ります。

① 바람 → 風　② 담배 → タバコ

❸ 배추 → 白菜　④ 시청 → 市役所

2）손을 씻을 때 필요합니다.　**5**

→ 手を洗う時に必要です。

❶ 비누 → せっけん　② 오이 → キュウリ

③ 이마 → 額(ひたい)　④ 색깔 → 色

**Point** ①「せっけんで洗う」は비누로 씻다という。④색깔は漢字語の색〈色〉と固有語の깔からなる。このように、漢字語と固有語の混種語も少なからず存在する。例：글자「字／文字」は글＋자〈字〉、손수건「ハンカチ」は손＋수건〈手巾〉。

3）물건을 파는 곳입니다.　**6**

→ 物を売る所です。

① 대학원 → 大学院　② 노래방 → カラオケ

③ 공원 → 公園　　　❹ 백화점 → デパート

**Point** 問題文の파는の辞書形(原形・基本形)は팔다。動詞の現在連体形「売る〜」になる時は、語幹末のㄹを落として、-는がつく。④は백のㄱと화の間で激音化が起きて[배콰점]と発音される。

4) 대학에서 가르치는 사람을 이렇게 부릅니다.　7

→ 大学で教える人をこう呼びます。

① 여러분 → みなさん　　　② 아가씨 → お嬢さん

③ 사장님 → 社長　　　❹ 교수님 → 教授

## 3

問いかけなどの文を2回読みます。その応答文として適切なものを①〜④の中から1つ選んでください。解答はマークシートの8番〜12番にマークしてください。次の問題に移るまでの時間は35秒です。

1) 어디가 안 좋으세요?　8

→ どこがお悪いのですか？

① 눈이 예쁘지요. → 目がきれいです。

❷ 배가 좀 아파요. → お腹が少し痛いです。

③ 마음이 넓어요. → 心が広いです。

④ 이 자리에 앉으시죠. → この席にお座りください。

## 解　答

**Point** 問題文の안 좋으세요は[안조으세요]、④の앉으시죠は[안즈시죠]と発音される。④の-(으)시죠「〜なさってください;〜なさいませんか」は、目上の人に命令したり提案したりする表現である。目上の人に「一緒に行きましょう」と言う時は、같이 가시죠と言う。같이 갑시다は、目上の人に対しては用いない。

2）이거 하나에 오천 원에 드릴게요, 손님.　**9**

→ これ、ひとつ5千ウォンで差し上げますよ、お客さま。

① 왜 돈을 안 받으려고 하세요?

→ なぜお金を受け取ろうとしないのですか?

② 전화번호를 다시 가르쳐 주세요.

→ 電話番号をもう一度教えてください。

③ 김밥은 다 팔았습니다.

→ のり巻は売りきれました。

❹ 더 깎아 주세요.

→ もっとまけてください。

**Point** 問題文中の하나에の-에は、数量や単位を表す語について、「(いくつ)で/に」という助詞である。例:세 개에 오천 원이에요「三つで5000ウォンです」。また、問題文中の오천 원에の-에は、値段を表す語について「(いくら)で)」という助詞である。例:5000원에 팔다/사다「5000ウォンで売る/買う」。④の깎다は、「値引きする」以外に、「削る、刈る、むく」の意味がある。例:머리를 깎다「頭を刈る」、사과를 깎다「りんごをむく」。

3）내일 영화 보러 갈까요?　**10**

→ 明日映画観に行きましょうか?

① 오늘은 시간이 없거든요.

→ 今日は時間がないんですよ。

② 그렇게 배 고파요?

→ そんなにお腹が空いていますか?

❸ 좋죠. 뭐 볼까요?

→ いいですね。何観ましょうか?

④ 벌써 극장에 도착했어요?

→ もう劇場に着きましたか?

4) 한국말 무척 잘하시네요. 11

→ 韓国語とてもお上手ですね。

① 아니에요. 저는 인기가 없어요.

→ いいえ。私は人気がありません。

② 그래요? 수고 많으셨어요.

→ そうですか?お疲れさまでした。

③ 미안해요. 제가 잘못했어요.

→ すみません。私が間違えました。

❹ 무슨 말씀을요. 아직 멀었습니다.

→ とんでもないです。まだまだです。

5) 맥주 드시겠어요? 12

→ ビールお飲みになりますか?

## 解　答

① 네, 잘 들려요.

→ はい、よく聞こえます。

② 여기서 뛰면 안 돼요.

→ ここで走ってはいけません。

❸ 아뇨, 저는 술을 못 마셔요.

→ いいえ、私はお酒が飲めません。

④ 지금 자리에 없습니다.

→ 今席におりません。

**4** 文章もしくは対話文を２回読みます。その内容と一致するものを①～④の中から１つ選んでください。解答はマークシートの13番～17番にマークしてください。次の問題に移るまでの時間は40秒です。

1）우리 집에서 회사까지 전철로 한 시간 이상 걸립니다. 멀어서 좀 힘듭니다. 회사에서 가까운 곳에 살고 싶습니다. 13

→ うちから会社まで電車で１時間以上かかります。遠いので、少し大変です。会社から近い所に住みたいです。

① 会社は家から近いです。

❷ 私は引っ越したいです。

③ 通勤は大変ではありません。

④ 自転車で通勤しています。

2）저는 어렸을 때부터 중국 문화에 관심이 많았습니다. 대학을 졸업하기 전에 유학을 가려고 합니다. 14

→ 私は子どもの頃から中国の文化に興味がありました。大学を卒業する前に、留学に行こうと思います。

① 卒業後に留学する予定です。
② 中国の大学を卒業したいです。
❸ 子どもの時から中国の文化に興味がありました。
④ 文学が好きです。

**Point** 때「時」は、未来連体形につく。例：먹을 때「食べる時」、먹었을 때「食べた時」。本文1行目の중국は、次の문화まで一気に発音すると、[중궁]と鼻音化する。語幹＋기 전에は「〜する前に」。「〜した後に」は－ㄴ/은 후에である。「留学に行く」は유학에 가다ではなく유학을 가다と表現する。유학のように、場所ではなく動作を表す名詞と가다の組み合わせでは、助詞－를/을を用いる。例：쇼핑을 가다「ショッピングに行く」

3）저는 20년 전에 배를 타고 한국에 여행을 갔습니다. 배 안에서 만난 한국 친구하고 지금도 연락하고 지냅니다. 15

→ 私は20年前に、船に乗って韓国に旅行に行きました。船の中で知り合った韓国の友達と今も連絡を取っています。

❶ 船の中で韓国人と知り合いました。
② 10年前に韓国に行きました。

## 解　答

③ 韓国の友達から連絡がありません。

④ 韓国の友達は元気です。

**Point** 20년は鼻音化して[이심년]と発音する。2)でも説明した通り、여행は場所ではなく動作なので、「旅行に行く」は여행에 가다ではなく、여행을 가다と表現する。

4) 男 : 벌써 가려고요? 바빠요?

女 : 한 시부터 수업이 있으니까 빨리 가야 돼요. 먼저 갈게요.

男 : 다음에 또 같이 점심 먹어요. 16

→ 男 : もう行くんですか?忙しいですか?

女 : 1時から授業があるので、早く行かなければなりません。先に行きますね。

男 : 今度また一緒にお昼を食べましょう。

① 二人は一緒に夕食を食べました。

❷ 女性は急いでいます。

③ 二人は同じ授業を取っています。

④ 今は授業中です。

5) 男 : 쉬는 날에 보통 뭐 해요?

女 : 그림을 좋아하니까 자주 그림을 보러 가요.

男 : 저도 그림 보는 걸 좋아하거든요.

女 : 그래요? 민우 씨는 어떤 그림을 좋아해요?

男 : 저는 그림이면 다 좋아해요. 윤아 씨는요?

女：저도 그래요. 다음에 같이 그림 보러 가요. 17

→ 男：休みの日に、普通何をしますか？
女：絵が好きなので、よく絵を見に行きます。
男：私も絵を見るのが好きなんですよ。
女：そうですか？　ミヌさんは、どんな絵が好きですか？
男：私は、絵ならなんでも好きです。ユナさんは？
女：私もそうです。今度一緒に絵を見に行きましょう。

❶ 二人は同じ趣味を持っています。
② 女性は、絵には興味がありません。
③ 女性は休日をたいてい家で過ごします。
④ 二人は一緒に絵を見に行ったことがあります。

**5** 対話文を２回読みます。引き続き４つの選択肢も２回ずつ読みます。【質問】に対する答えとして適切なものを①～④の中から１つ選んでください。解答はマークシートの18番～20番にマークしてください。次の問題に移るまでの時間は50秒です。

1）男：계산해 주세요. 아주머니.
女：네. 냉면 두 그릇이니까 만 팔천 원입니다.
男：맛있게 먹었습니다.
女：또 오십시오, 손님.
男：네. 또 올게요.

## 解　答

→ 男：お会計お願いします。おばさん。
女：はい。冷麺２杯だから、１万８千ウォンです。
男：おいしくいただきました。
女：またお越しくださいませ、お客さま。
男：はい。また来ますね。

【質問】 ここはどこですか。 **18**

① 은행 → 銀行　❷ 식당 → 食堂
③ 친구 집 → 友達の家　④ 부엌 → 台所

２）女：한국은 처음이세요?
男：아뇨, 자주 와요. 지난달에도 왔어요.
女：한국이 마음에 드세요?
男：그럼요. 서울에 친구가 많이 살거든요.
女：그래요? 그럼 한국에 사시면 어때요?
→ 女：韓国は初めてですか？
男：いいえ、よく来ます。先月も来ました。
女：韓国がお気に召しましたか？
男：もちろんです。ソウルに友達がたくさん住んでいるんです。
女：そうですか？　では、韓国にお住みになったらどうですか？

【質問】 男性について当てはまるのは何番ですか。 **19**

① 한국에 살고 있습니다. → 韓国に住んでいます。
❷ 한국을 좋아합니다. → 韓国が好きです。

③ 한국에 처음 왔습니다. → 韓国に初めて来ました。

④ 친구가 적습니다. → 友達が少ないです。

3) 男 : 오늘 영어 수업이 없으면 사전을 빌려도 될까요?
女 : 괜찮아요. 나는 아까 영어 수업이 끝났거든요.
男 : 고마워요.
女 : 그런데 사전 가지고 있었잖아요.
男 : 잃어버렸어요. 버스 안에 두고 내렸어요.
女 : 아이고. 그럼 다음 주에 돌려주면 돼요.

→ 男 : 今日、英語の授業がなければ、辞書を借りてもいいですか?
女 : いいですよ。私はさっき英語の授業が終わりましたから。
男 : ありがとうございます。
女 : ところで、辞書、持っていたじゃないですか。
男 : 失くしてしまいました。バスに置き忘れました。
女 : まあ。じゃあ、来週返してくれればいいですよ。

【質問】 対話の内容と一致するものはどれですか。 **20**

① 남자는 사전을 집에 두고 왔습니다.
→ 男性は辞書を家に忘れて来ました。

② 여자는 오늘 영어 수업이 없었습니다.
→ 女性は今日英語の授業がありませんでした。

❸ 남자는 여자한테서 사전을 빌립니다.
→ 男性は女性から辞書を借ります。

## 解　答

④ 여자도 사전을 안 가지고 있습니다.

→ 女性も辞書を持っていません。

**Point** 対話文5行目の버스 안에 두고 내렸어요は、直訳すると「バスの中に置いて降りました」となるが、つまり置き忘れたという意味である。「家に忘れた」場合は집에 두고 왔다と言う。③の-한테서 빌리다は「～に借りる」で、一方「～に貸す」は한테 빌려주다である。③を言い換えると、여자는 남자한테 사전을 빌려줍니다となる。

（＊白ヌキ数字が正答番号）

## 筆記 問題と解答

**1** 発音どおり表記したものを①～④の中から１つ選びなさい。

1）끝내요 → 終えます 1

① [끄내요] ❷ [끈내요] ③ [끔내요] ④ [끙내요]

2）못해요 → できません 2

❶ [모태요] ② [모새요] ③ [모때요] ④ [모대요]

**Point** 激音化の問題である。못は[몯]と発音する。[몯]と後ろの해を続けて発音すると、[모태]と激音化する。

3）같이 → 一緒に 3

❶ [가치] ② [가티] ③ [가찌] ④ [가디]

**Point** パッチムのㅌの次に、母音이が続くと、合わせて[치]と発音される。これを口蓋音化という。같に、이以外の母音が続くと、口蓋音化せず、文字通り[ㅌ]で発音される。例：같아요[가타요]「同じです」、같은 책[가튼책]「同じ本」。

4）끊을 거예요 → 切るつもりです 4

① [끄늘커에요] ❷ [끄늘꺼에요]

# 解　答

③ [끄흘거에요]　　④ [끄을꺼에요]

**Point** パッチムㄶの次に母音が続くと、ㅎは発音されないため、끊을は[끄늘]と発音される。未来連体形語尾の-ㄹ/을に続く平音は、濃音化する。

**2** 次の日本語の意味を正しく表記したものを①～④の中から1つ選びなさい。

1）島　　5

① 솜　② 성　❸ 섬　④ 손

**Point** つづりの問題である。①は固有語「綿」、④は固有語「手」である。②は漢字語「城」で、漢字表記は〈城〉。

2）漫画（まんが）　　6

① 만가　② 만과　③ 만하　❹ 만화

**Point** 漢字語〈漫画〉のつづりを問う問題である。音読みでガ行で始まる漢字が、韓国・朝鮮語でㄱで始まることは多くない（4級範囲内の例：演劇「エンゲキ」연극）。ガ行がㅎやㅇと対応することの方が多い（4級範囲内の例：映画「エイガ」영화、学校「ガッコウ」학교、祝賀「シュクガ」축하、番号「バンゴウ」번호、午後「ゴゴ」오후、五月「ゴガツ」오월、外国語「ガイコクゴ」외국어、音楽「オンガク」음악、授業「ジュギョウ」수업、銀行「ギンコウ」은행）。

3）落ちました　7

❶ 떨어졌어요　② 떠러졌어요
③ 털어졌어요　④ 터러졌어요

4）急に　8

❶ 갑자기　② 갑차기　③ 각자기　④ 갇차기

**3** 次の日本語に当たるものを①〜④の中から１つ選びなさい。

1）米　9

❶ 쌀 → 米　② 김 → のり
③ 귤 → みかん　④ 무 → 大根

2）職業　10

① 소개 → 紹介　② 수건 → タオル
③ 지갑 → 財布　❹ 직업 → 職業

**Point** 選択肢は全て漢字語である。それぞれ漢字表記は、①〈紹介〉、②〈手巾〉、③〈紙匣〉、④〈職業〉である。

## 解　答

3）召し上がります　**11**

① 잡으십니다　→ おつかみになります
❷ 잡수십니다　→ 召し上がります
③ 주무십니다　→ お休みになります
④ 싸우십니다　→ けんかなさいます

**Point** 選択肢は全て尊敬形である。各選択肢の非尊敬形は①잡습니다、②먹습니다、③잡니다、④싸웁니다である。②は드십니다と言い換えることができる。

4）たぶん　**12**

❶ 아마　→ たぶん
② 이제　→ 今、もう
③ 우선　→ まず
④ 잠시　→ しばらくの間

5）新しい　**13**

① 저런　→ あのような
② 이런　→ このような
③ 모든　→ すべての、あらゆる
❹ 새　→ 新しい

**Point** ①と②は、それぞれ저렇다と이렇다の連体形である。

**4** (　　　)の中に入れるのに最も適切なものを①～④の中から1つ選びなさい。

1) 친구 결혼식이 있어서 ( 14 ) 한 벌 샀습니다.
→ 友達の結婚式があるので( 14 )1着買いました。

① 케이크를 → ケーキを　② 자전거를 → 自転車を
③ 콜라를 → コーラを　❹ 양복을 → スーツを

**Point** 벌は衣服を数える助数詞である。①ケーキ1個は한 개、②自転車1台は한 대、③コーラ1本は한 병、1杯なら한 잔と数える。

2) 여기서 담배를 ( 15 ) 안 됩니다.
→ ここでたばこを( 15 )いけません。

❶ 피우면 → 吸っては　② 자라면 → 成長しては
③ 늘면 → 伸びては　④ 달리면 → 走っては

3) 내일 두 시에 ( 16 ) 오세요.
→ 明日2時に( 16 )来てください。

❶ 꼭 → 必ず　② 겨우 → やっと、ようやく
③ 어서 → はやく、さあ　④ 얼마 → いくら

## 解　答

**5** (　　　)の中に入れるのに最も適切なものを①～④の中から1つ選びなさい。

1）A：선생님 ( 17 ) 어디세요?
B：저요? 저는 학교 근처에 살아요.
→ A：先生の ( 17 ) どこですか?
B：私ですか?　私は学校の近くに住んでいます。

① 접시가 → お皿は　② 우산이 → 傘は
③ 성함이 → お名前は　❹ 댁이 → お宅は

**Point** 対話文１行目어디세요は어디예요の尊敬形である。③성함は이름の尊敬形、④댁は집の尊敬形である。疑問詞(어디、무엇、누구、언제、어느など)と이다を用いた「～は～ですか？」という疑問文では、「～は」に当たる部分の助詞として、-가/이を用いるのが普通。例:화장실이 어디예요？「トイレはどこですか？」、이게(이것이の縮約形) 뭐예요？「これは何ですか？」

2）A：방이 좀 어둡네요. 불 좀 ( 18 ) 주시겠어요?
B：네, 알겠습니다.
→ A：部屋がちょっと暗いですね。ちょっと明かりを( 18 )いただけませんか?
B：はい、分かりました。

❶ 켜 → つけて　② 꺼 → 消して
③ 지켜 → 守って　④ 풀어 → 解いて

**Point** ①の켜다は、電化製品をオンにするという意味の「点ける」である。その対義語が②の끄다である。例:텔레비전을 켜다「テレビをつけ

る」、라디오를 끄다「ラジオを消す」。

3) A : 김현철 선생님 바꿔 주시겠습니까?
B : 네, ( 19 ) 기다리세요.
→ A : キム・ヒョンチョル先生(に)変わっていただけますか?
B : はい、( 19 )お待ちください。

❶ 잠깐만 → 少々、しばらく
② 자꾸 → しきりに、しょっちゅう
③ 아까 → さっき
④ 일찍 → 早く

**6** 次の文の意味を変えずに、下線部の言葉と置き換えが可能なものを①～④の中から1つ選びなさい。

1) 저는 <u>독서가 취미입니다</u>. 20
→ 私は<u>読書が趣味です</u>。

❶ 책을 읽는 것을 좋아합니다 → 本を読むことが好きです
② 소설을 잘 씁니다 → 小説を書くのが得意です
③ 공부를 잘합니다 → 勉強が得意です
④ 소설가가 꿈입니다 → 小説家が夢です

## 解　答

2）그 사람이 한 말이 기억이 나지 않습니다.　21

→ その人が言った言葉が思い出せません。

① 말이 달라졌습니다 → 言葉が変わりました
❷ 말을 잊어버렸습니다 → 言葉を忘れました
③ 말이 기억에 남아 있습니다 → 言葉が記憶に残っています
④ 말을 모았습니다 → 言葉を集めました

Point 問題文の기억이 나다は、생각이 나다ともいう。

**7** 下線部の動詞、形容詞の辞書形(原形・基本形)として正しいものを①～④の中から１つ選びなさい。

1）혼자 슬퍼서 울었습니다.　22

→ 一人で、悲しくて泣きました。

❶ 슬프다 → 悲しい　② 슬퍼서다 → ×
③ 슬퍼다 → ×　④ 슬푸다 → ×

2）아름다운 밤이네요.　23

→ 美しい夜ですね。

① 아름다우다 → ×　② 아름다 → ×
❸ 아름답다 → 美しい　④ 아름다웁다 → ×

3）아침에 <u>걸으면</u> 기분이 좋아요. 24

→ 朝<u>歩くと</u>気持ちがいいです。

❶ 걷다 → 歩く　② 걸으다 → ×
③ 거르다 → ×　④ 걸다 → かける

**Point** ㄷ変格用言である。語幹の後ろに母音が続くと、ㄷがㄹに変わる。例えば、걸어요「歩きます」、걸으니까「歩くから、歩くと」、걸을까요？「歩きましょうか？」。４級の範囲では他に、듣다「聞く」、묻다「尋ねる」、알아듣다「聞き取る、聞いて理解する」がある。

4）강이 서쪽에서 동쪽으로 <u>흘러요</u>. 25

→ 川が西から東へ<u>流れます</u>。

① 흐러다 → ×　② 흘르다 → ×
③ 흘러다 → ×　❹ 흐르다 → 流れる

**Point** 르変格用言である。르のひとつ前の母音がㅏまたはㅗ以外のときは、ヘヨ体は-ㄹ러요という形になる（例：부르다→불러요）。一方、빠르다や모르다のように르のひとつ前の母音がㅏまたはㅗのときは、ヘヨ体は-ㄹ라요という形になる（例：다르다→달라요、오르다→올라요）。

5）감기가 <u>나으면</u> 다시 운동할 거예요. 26

→ 風邪が<u>治ったら</u>、また運動するつもりです。

① 나으다 → ×　② 나다 → 出る、生じる
❸ 낫다 → 治る　④ 낳다 → 産む（３級）

## 解　答

**Point** ㅅ変格用言である。語幹の後ろに母音が続くとき、ㅅが消える。例えば、나아요「治ります」、나으니까「治るから、治ると」、나은 후「治った後」。4級の範囲では他に、짓다「つくる」がある。

**8** (　　　)の中に入れるのに適切なものを①～④の中から1つ選びなさい。

1) 저에게는 이 길( 27 ) 없습니다.
→ 私にはこの道( 27 )ありません。

① 처럼 → ～のように　　② 에게 → ～に
❸ 밖에 → ～しか　　④ 한테 → ～に

2) 내년에 유학을 ( 28 ) 생각입니다.
→ 来年、留学に( 28 )つもりです。

① 갔던 → 行った　　② 간 → 行った
③ 가는 → 行く　　❹ 갈 → 行く

**Point** 생각「つもり、考え」、계획「計画」、예정「予定」などは、「語幹-(으)ㄹ」という未来連体形につく。例：먹을 생각「食べるつもり」、만들 계획「作る計画」、떠날 예정「発つ予定」。

3) A：누가 그런 말을 했어요?
B：선생님( 29 ) 그렇게 말씀하셨어요.

→ A：誰がそんなことを言いましたか？
B：先生（ 29 ）そうおっしゃいました。

① 께 → ～に
❷ 께서 → ～が
③ 에게서 → ～から
④ 에 → ～に

**Point** 助詞にも尊敬形がある。-에게の尊敬形は-께、-는/은の尊敬形は-께서는、-도の尊敬形は-께서도である。例：선생님께서도 그렇게 생각하십니까?「先生もそのようにお考えになりますか？」。

4）A：콘서트가 시작되기 전에 밥 먹을까요?
B：시간이 없어요. （ 30 ） 먹죠.
→ A：コンサートが始まる前にご飯を食べましょうか？
B：時間がありません。（ 30 ）食べましょう。

❶ 끝난 뒤에 → 終わった後に
② 끝난 이상 → 終わった以上
③ 끝나기 때문에 → 終わるため
④ 끝나지 않고 → 終わらないで

# 解 答

**9** 次の場面や状況において最も適切なあいさつやあいづちなどの言葉を①～④の中から１つ選びなさい。

1）目上の人の誕生日を祝うとき　　31

① 새해 복 많이 받으십시오.
→ 明けましておめでとうございます。

❷ 축하드립니다.
→ おめでとうございます。

③ 수고하십니다.
→ お疲れさまです。

④ 감사드립니다.
→ ありがとうございます。

2）食べ物を勧められて、断るとき　　32

① 글쎄요.　→ さあ…。
② 잘 먹겠습니다.　→ いただきます。
③ 참.　→ あっ、そうだ。
❹ 됐어요.　→ 結構です。

**Point** ④は「結構です、十分です」という意味である。되다の意味は多岐にわたる。例：친구가 되고 싶어요「友達になりたいです」、밥이 다 됐어요「ごはんができました」、이렇게 하면 돼요「こうすればいいです」。

**10** 対話文を完成させるのに最も適切なものを①～④の中から1つ選びなさい。

1) A : 손님, 뭘 찾으세요?
B : ( 33 )
A : 네. 싸게 해 드릴게요.

→ A : お客様、何をお探しですか?
B : ( 33 )
A : はい。お安くいたしますよ。

❶ 여자아이 옷 좀 보여 주세요.
→ 女の子の服を見せてください。

② 머리를 짧게 해 주세요.
→ 髪を短くしてください。

③ 돈을 찾았어요.
→ お金を下ろしました。

④ 신세 많이 졌습니다.
→ お世話になりました。

2) A : 할아버지 연세가 어떻게 되세요?
B : ( 34 )
A : 우리 할아버지하고 같으시네요.

→ A : おじいさんのお年はおいくつですか?
B : ( 34 )
A : うちのおじいさんと同じですね。

## 解　答

① 저도 그걸 알고 싶었어요.

→ 私もそれを知りたかったです。

② 그걸 모르는 사람은 없을 거예요.

→ それを知らない人はいないでしょう。

❸ 일흔이세요.

→ 70歳です。

④ 나이를 물으면 실례가 되지요.

→ 歳を聞いたら失礼になりますよ。

**Point** 対話文中の연세は나이の尊敬形である。○○가/이 어떻게 되세요？は、相手の○○を尋ねる非常にていねいな表現である。例：성함이 어떻게 되세요？「お名前は何とおっしゃいますか？」、주소가 어떻게 되세요？「住所を教えてください」。

3）A：다 모였습니까?

B：（ 35 ）

A：시간이 지났으니까 기다리지 말고 회의를 시작합시다.

→ A：みんな集まりましたか?

B：（ 35 ）

A：時間が過ぎたので、待たないで会議を始めましょう。

① 네, 모두 왔어요.

→ はい、みんな来ました。

❷ 두 사람이 아직 안 왔어요.

→ 2人がまだ来ていません。

③ 늦어서 죄송합니다.

→ 遅れて申し訳ありません。

④ 나이가 들었습니다.

→ 年をとりました。

4) A：이 과자 좀 먹어 봐요.

B：( 36 )

A：아뇨, 산 거예요.

→ A：このお菓子、ちょっと食べてみてください。
B：( 36 )
A：いいえ、買ったものです。

① 맛이 어때요?

→ 味はどうですか?

❷ 미현 씨가 만들었어요?

→ ミヒョンさんが作りましたか?

③ 미현 씨도 먹어 봐요.

→ ミヒョンさんも食べてみてください。

④ 저 때문에 사 왔어요?

→ 私のために買って来たのですか?

## 解　答

**11** 文章を読んで、問いに答えなさい。

미키 씨에게

미키 씨가 한국에 와서 정말 기뻐요. 함께 얘기를 나누는 게 재미있어요. 미키 씨한테 배운 것도 많아요. 다음 주 토요일 저녁에 ( 37 ) 우리 집에 와 주면 좋겠어요. 사실은 제 스물네 번째 생일이거든요. 엄마하고 맛있는 것 많이 만들 거예요. 먹고 싶은 게 있으면 말해요. 엄마도 미키 씨를 보고 싶어 해요. 그럼 기다릴게요.

윤아가

**【日本語訳】**

みきさんへ

みきさんが韓国に来て、本当に嬉しいです。一緒にお話をするのが面白いです。みきさんから学んだこともたくさんあります。来週の土曜日の夕方、( 37 )うちに来てほしいです。実は、私の24回目の誕生日なんですよ。お母さんとおいしいものをたくさん作るつもりです。食べたいものがあれば、言ってください。お母さんもみきさんに会いたがっています。では、待っています。

ユナより

# 第53回 解答

【問1】 ( 37 )に入れるのに適切でないものを①～④の中から1つ選びなさい。 37

❶ 부모님이 집에 안 계시니까
→ 両親が家にいないから

② 식사하러
→ 食事しに

③ 시간이 되면
→ 都合がつけば

④ 아르바이트하지 말고
→ アルバイトしないで

【問2】 本文の内容と一致するものを①～④の中から１つ選びなさい。 38

❶ 미키는 윤아에게 좋은 친구입니다.
→ みきはユナにとっていい友達です。

② 윤아는 지금 22세입니다.
→ ユナは今22歳です。

③ 윤아는 미키를 한국에 부르려고 합니다.
→ ユナはみきを韓国に呼ぼうとしています。

④ 미키는 일본에 돌아갔습니다.
→ みきは日本に帰りました。

**Point** 韓国では、年齢を数え年で数えるため、24回目の誕生日に24歳にな

## 解　答

るのではない。生まれた時にすでに한 살で、初めて迎える1月1日に두 살になる。

**12** 対話文を読んで、問いに答えなさい。

준수 : 와, 가방이 많네요. 주세요. 제가 들게요.
유코 : 그럼 이거 하나만 들어 주시겠어요?
준수 : 그냥 다 주세요. 무겁잖아요. ( 39 ) 이게 다 뭐예요?
유코 : 책이에요. 지난번에 서울에 여행을 왔을 때 못 샀거든요.
준수 : 많이 샀네요. 이걸 다 지금 일본까지 가져가려고요?
유코 : 집으로 보내려고 했지만 우체국에 갈 시간이 없었거든요.

**【日本語訳】**

チュンス：わあ、カバンがたくさんですね。ください。私が持ちますよ。
ゆうこ：では、これひとつだけ持っていただけますか？
チュンス：そのまま全部ください。重いじゃないですか。( 39 )これは全部何ですか？
ゆうこ：本です。前回ソウルに旅行に来たとき、買えなかったんですよ。
チュンス：たくさん買いましたね。これを全部今、日本に持って帰ろうっていうのですか？

ゆうこ：家に送ろうとしたのですが、郵便局に行く時間がなかったんですよ。

【問1】（ 39 ）に入れるのに適切なものを①～④の中から1つ選びなさい。 39

① 그러나 → しかし、でも
❷ 그런데 → ところで
③ 그래서 → それで
④ 그렇지만 → しかし、でも

【問2】本文の内容と一致するものを①～④の中から1つ選びなさい。 40

① 유코는 책을 두고 가야 합니다.
→ ゆうこは本を置いて行かなければなりません。
② 유코는 우체국에서 책을 보냈습니다.
→ ゆうこは郵便局から本を送りました。
③ 가방은 전혀 무겁지 않습니다.
→ カバンは全く重くありません。
❹ 두 사람은 지금 한국에 있습니다.
→ 二人は今韓国にいます。

**Point** 対話文4行目に지난 번에 서울에 왔을 때と言っているので、二人は韓国にいる。3行目이게 다 뭐예요？の다には、「何がこんなに入

## 解 答

っているのですか？」という軽い驚きのニュアンスも入っている。対話文中に会話に頻出する語尾が多く使われているので、整理しておく。-네요「～しますね／～ですね」、-(으) ㄹ게요「～しますよ／～しますからね」、-잖아요「～(する)じゃないですか」、-거든요「～するんですよ／～なんですよ」、-려고요「～しようと思います」、-려고요？「～しようっていうのですか？」。

正答と配点

# 4級聞きとり 正答と配点

●40点満点

| 問題 | 設問 | マークシート番号 | 正　答 | 配　点 |
|---|---|---|---|---|
| 1 | 1) | 1 | ① | 2 |
| | 2) | 2 | ② | 2 |
| | 3) | 3 | ② | 2 |
| 2 | 1) | 4 | ③ | 2 |
| | 2) | 5 | ① | 2 |
| | 3) | 6 | ④ | 2 |
| | 4) | 7 | ④ | 2 |
| 3 | 1) | 8 | ② | 2 |
| | 2) | 9 | ④ | 2 |
| | 3) | 10 | ③ | 2 |
| | 4) | 11 | ④ | 2 |
| | 5) | 12 | ③ | 2 |
| 4 | 1) | 13 | ② | 2 |
| | 2) | 14 | ③ | 2 |
| | 3) | 15 | ① | 2 |
| | 4) | 16 | ② | 2 |
| | 5) | 17 | ① | 2 |
| 5 | 1) | 18 | ② | 2 |
| | 2) | 19 | ② | 2 |
| | 3) | 20 | ③ | 2 |
| 合　計 | | | | 40 |

# 4級筆記　正答と配点

●60点満点

| 問題 | 設問 | マークシート番号 | 正答 | 配点 |
|---|---|---|---|---|
| 1 | 1) | 1 | ② | 1 |
| | 2) | 2 | ① | 1 |
| | 3) | 3 | ① | 1 |
| | 4) | 4 | ② | 1 |
| 2 | 1) | 5 | ③ | 1 |
| | 2) | 6 | ④ | 1 |
| | 3) | 7 | ① | 1 |
| | 4) | 8 | ① | 1 |
| 3 | 1) | 9 | ① | 1 |
| | 2) | 10 | ④ | 1 |
| | 3) | 11 | ② | 1 |
| | 4) | 12 | ① | 1 |
| | 5) | 13 | ④ | 1 |
| 4 | 1) | 14 | ④ | 2 |
| | 2) | 15 | ① | 2 |
| | 3) | 16 | ① | 2 |
| 5 | 1) | 17 | ④ | 2 |
| | 2) | 18 | ① | 2 |
| | 3) | 19 | ① | 2 |
| 6 | 1) | 20 | ① | 2 |
| | 2) | 21 | ② | 2 |

| 問題 | 設問 | マークシート番号 | 正答 | 配点 |
|---|---|---|---|---|
| 7 | 1) | 22 | ① | 1 |
| | 2) | 23 | ③ | 1 |
| | 3) | 24 | ① | 1 |
| | 4) | 25 | ④ | 1 |
| | 5) | 26 | ③ | 1 |
| 8 | 1) | 27 | ③ | 2 |
| | 2) | 28 | ④ | 2 |
| | 3) | 29 | ② | 2 |
| | 4) | 30 | ① | 2 |
| 9 | 1) | 31 | ② | 1 |
| | 2) | 32 | ④ | 1 |
| 10 | 1) | 33 | ① | 2 |
| | 2) | 34 | ③ | 2 |
| | 3) | 35 | ② | 2 |
| | 4) | 36 | ② | 2 |
| 11 | 問1 | 37 | ① | 2 |
| | 問2 | 38 | ① | 2 |
| 12 | 問1 | 39 | ② | 2 |
| | 問2 | 40 | ④ | 2 |
| 合　計 | | | | 60 |

# 반절표(反切表)

| | 【1】 | 【2】 | 【3】 | 【4】 | 【5】 | 【6】 | 【7】 | 【8】 | 【9】 | 【10】 |
|---|---|---|---|---|---|---|---|---|---|---|
| 母音<br>子音 | ㅏ<br>[a] | ㅑ<br>[ja] | ㅓ<br>[ɔ] | ㅕ<br>[jɔ] | ㅗ<br>[o] | ㅛ<br>[jo] | ㅜ<br>[u] | ㅠ<br>[ju] | ㅡ<br>[ɯ] | ㅣ<br>[i] |
| 【1】 ㄱ [k/g] | 가 | 갸 | 거 | 겨 | 고 | 교 | 구 | 규 | 그 | 기 |
| 【2】 ㄴ [n] | 나 | 냐 | 너 | 녀 | 노 | 뇨 | 누 | 뉴 | 느 | 니 |
| 【3】 ㄷ [t/d] | 다 | 댜 | 더 | 뎌 | 도 | 됴 | 두 | 듀 | 드 | 디 |
| 【4】 ㄹ [r/l] | 라 | 랴 | 러 | 려 | 로 | 료 | 루 | 류 | 르 | 리 |
| 【5】 ㅁ [m] | 마 | 먀 | 머 | 며 | 모 | 묘 | 무 | 뮤 | 므 | 미 |
| 【6】 ㅂ [p/b] | 바 | 뱌 | 버 | 벼 | 보 | 뵤 | 부 | 뷰 | 브 | 비 |
| 【7】 ㅅ [s/ʃ] | 사 | 샤 | 서 | 셔 | 소 | 쇼 | 수 | 슈 | 스 | 시 |
| 【8】 ㅇ [無音/ŋ] | 아 | 야 | 어 | 여 | 오 | 요 | 우 | 유 | 으 | 이 |
| 【9】 ㅈ [tʃ/dʒ] | 자 | 쟈 | 저 | 져 | 조 | 죠 | 주 | 쥬 | 즈 | 지 |
| 【10】 ㅊ [tʃʰ] | 차 | 챠 | 처 | 쳐 | 초 | 쵸 | 추 | 츄 | 츠 | 치 |
| 【11】 ㅋ [kʰ] | 카 | 캬 | 커 | 켜 | 코 | 쿄 | 쿠 | 큐 | 크 | 키 |
| 【12】 ㅌ [tʰ] | 타 | 탸 | 터 | 텨 | 토 | 툐 | 투 | 튜 | 트 | 티 |
| 【13】 ㅍ [pʰ] | 파 | 퍄 | 퍼 | 펴 | 포 | 표 | 푸 | 퓨 | 프 | 피 |
| 【14】 ㅎ [h] | 하 | 햐 | 허 | 혀 | 호 | 효 | 후 | 휴 | 흐 | 히 |
| 【15】 ㄲ [ˀk] | 까 | 꺄 | 꺼 | 껴 | 꼬 | 꾜 | 꾸 | 뀨 | 끄 | 끼 |
| 【16】 ㄸ [ˀt] | 따 | 땨 | 떠 | 뗘 | 또 | 뚀 | 뚜 | 뜌 | 뜨 | 띠 |
| 【17】 ㅃ [ˀp] | 빠 | 뺘 | 뻐 | 뼈 | 뽀 | 뾰 | 뿌 | 쀼 | 쁘 | 삐 |
| 【18】 ㅆ [ˀs] | 싸 | 쌰 | 써 | 쎠 | 쏘 | 쑈 | 쑤 | 쓔 | 쓰 | 씨 |
| 【19】 ㅉ [ˀtʃ] | 짜 | 쨔 | 쩌 | 쪄 | 쪼 | 쬬 | 쭈 | 쮸 | 쯔 | 찌 |

| 【11】 | 【12】 | 【13】 | 【14】 | 【15】 | 【16】 | 【17】 | 【18】 | 【19】 | 【20】 | 【21】 |
|---|---|---|---|---|---|---|---|---|---|---|
| ㅐ<br>[ɛ] | ㅒ<br>[jɛ] | ㅔ<br>[e] | ㅖ<br>[je] | ㅘ<br>[wa] | ㅙ<br>[wɛ] | ㅚ<br>[we] | ㅝ<br>[wɔ] | ㅞ<br>[we] | ㅟ<br>[wi] | ㅢ<br>[ɯi] |
| 개 | 걔 | 게 | 계 | 과 | 괘 | 괴 | 궈 | 궤 | 귀 | 긔 |
| 내 | 냬 | 네 | 녜 | 놔 | 놰 | 뇌 | 눠 | 눼 | 뉘 | 늬 |
| 대 | 댸 | 데 | 뎨 | 돠 | 돼 | 되 | 둬 | 뒈 | 뒤 | 듸 |
| 래 | 럐 | 레 | 례 | 롸 | 뢔 | 뢰 | 뤄 | 뤠 | 뤼 | 릐 |
| 매 | 먜 | 메 | 몌 | 뫄 | 뫠 | 뫼 | 뭐 | 뭬 | 뮈 | 믜 |
| 배 | 뱨 | 베 | 볘 | 봐 | 봬 | 뵈 | 붜 | 붸 | 뷔 | 븨 |
| 새 | 섀 | 세 | 셰 | 솨 | 쇄 | 쇠 | 숴 | 쉐 | 쉬 | 싀 |
| 애 | 얘 | 에 | 예 | 와 | 왜 | 외 | 워 | 웨 | 위 | 의 |
| 재 | 쟤 | 제 | 졔 | 좌 | 좨 | 죄 | 줘 | 줴 | 쥐 | 즤 |
| 채 | 챼 | 체 | 쳬 | 촤 | 쵀 | 최 | 춰 | 췌 | 취 | 츼 |
| 캐 | 컈 | 케 | 켸 | 콰 | 쾌 | 쾨 | 쿼 | 퀘 | 퀴 | 킈 |
| 태 | 턔 | 테 | 톄 | 톼 | 퇘 | 퇴 | 퉈 | 퉤 | 튀 | 틔 |
| 패 | 퍠 | 페 | 폐 | 퐈 | 퐤 | 푀 | 풔 | 풰 | 퓌 | 픠 |
| 해 | 햬 | 헤 | 혜 | 화 | 홰 | 회 | 훠 | 훼 | 휘 | 희 |
| 깨 | 꺠 | 께 | 꼐 | 꽈 | 꽤 | 꾀 | 꿔 | 꿰 | 뀌 | 끠 |
| 때 | 떄 | 떼 | 뗴 | 똬 | 뙈 | 뙤 | 뚸 | 뛔 | 뛰 | 띄 |
| 빼 | 뺴 | 뻬 | 뼤 | 뽜 | 뽸 | 뾔 | 뿨 | 쀄 | 쀠 | 쁴 |
| 쌔 | 썌 | 쎄 | 쎼 | 쏴 | 쐐 | 쐬 | 쒀 | 쒜 | 쒸 | 씌 |
| 째 | 쨰 | 쩨 | 쪠 | 쫘 | 쫴 | 쬐 | 쭤 | 쮀 | 쮜 | 쯰 |

# かな文字のハングル表記
## （大韓民国方式）

| 【かな】 | 【ハングル】 | |
|---|---|---|
| | ＜語頭＞ | ＜語中＞ |
| あ い う え お | 아 이 우 에 오 | 아 이 우 에 오 |
| か き く け こ | 가 기 구 게 고 | 카 키 쿠 케 코 |
| さ し す せ そ | 사 시 스 세 소 | 사 시 스 세 소 |
| た ち つ て と | 다 지 쓰 데 도 | 타 치 쓰 테 토 |
| な に ぬ ね の | 나 니 누 네 노 | 나 니 누 네 노 |
| は ひ ふ へ ほ | 하 히 후 헤 호 | 하 히 후 헤 호 |
| ま み む め も | 마 미 무 메 모 | 마 미 무 메 모 |
| や ゆ よ | 야 유 요 | 야 유 요 |
| ら り る れ ろ | 라 리 루 레 로 | 라 리 루 레 로 |
| わ を | 와 오 | 와 오 |
| が ぎ ぐ げ ご | 가 기 구 게 고 | 가 기 구 게 고 |
| ざ じ ず ぜ ぞ | 자 지 즈 제 조 | 자 지 즈 제 조 |
| だ ぢ づ で ど | 다 지 즈 데 도 | 다 지 즈 데 도 |
| ば び ぶ べ ぼ | 바 비 부 베 보 | 바 비 부 베 보 |
| ぱ ぴ ぷ ぺ ぽ | 파 피 푸 페 포 | 파 피 푸 페 포 |
| きゃ きゅ きょ | 갸 규 교 | 캬 큐 쿄 |
| しゃ しゅ しょ | 샤 슈 쇼 | 샤 슈 쇼 |
| ちゃ ちゅ ちょ | 자 주 조 | 차 추 초 |
| にゃ にゅ にょ | 냐 뉴 뇨 | 냐 뉴 뇨 |
| ひゃ ひゅ ひょ | 햐 휴 효 | 햐 휴 효 |
| みゃ みゅ みょ | 먀 뮤 묘 | 먀 뮤 묘 |
| りゃ りゅ りょ | 랴 류 료 | 랴 류 료 |
| ぎゃ ぎゅ ぎょ | 갸 규 교 | 갸 규 교 |
| じゃ じゅ じょ | 자 주 조 | 자 주 조 |
| びゃ びゅ びょ | 뱌 뷰 뵤 | 뱌 뷰 뵤 |
| ぴゃ ぴゅ ぴょ | 퍄 퓨 표 | 퍄 퓨 표 |

撥音の「ん」と促音の「っ」はそれぞれパッチムのㄴ、ㅅで表す。
長母音は表記しない。タ行、ザ行、ダ行に注意。

# かな文字のハングル表記
# （朝鮮民主主義人民共和国方式）

| 【かな】 | 【ハングル】 | | | | | | | | | |
|---|---|---|---|---|---|---|---|---|---|---|
| | ＜語頭＞ | | | | | ＜語中＞ | | | | |
| あ い う え お | 아 | 이 | 우 | 에 | 오 | 아 | 이 | 우 | 에 | 오 |
| か き く け こ | 가 | 기 | 구 | 게 | 고 | 까 | 끼 | 꾸 | 께 | 꼬 |
| さ し す せ そ | 사 | 시 | 스 | 세 | 소 | 사 | 시 | 스 | 세 | 소 |
| た ち つ て と | 다 | 지 | 쯔 | 데 | 도 | 따 | 찌 | 쯔 | 떼 | 또 |
| な に ぬ ね の | 나 | 니 | 누 | 네 | 노 | 나 | 니 | 누 | 네 | 노 |
| は ひ ふ へ ほ | 하 | 히 | 후 | 헤 | 호 | 하 | 히 | 후 | 헤 | 호 |
| ま み む め も | 마 | 미 | 무 | 메 | 모 | 마 | 미 | 무 | 메 | 모 |
| や ゆ よ | 야 | | 유 | | 요 | 야 | | 유 | | 요 |
| ら り る れ ろ | 라 | 리 | 루 | 레 | 로 | 라 | 리 | 루 | 레 | 로 |
| わ を | 와 | | | | 오 | 와 | | | | 오 |
| が ぎ ぐ げ ご | 가 | 기 | 구 | 게 | 고 | 가 | 기 | 구 | 게 | 고 |
| ざ じ ず ぜ ぞ | 자 | 지 | 즈 | 제 | 조 | 자 | 지 | 즈 | 제 | 조 |
| だ ぢ づ で ど | 다 | 지 | 즈 | 데 | 도 | 다 | 지 | 즈 | 데 | 도 |
| ば び ぶ べ ぼ | 바 | 비 | 부 | 베 | 보 | 바 | 비 | 부 | 베 | 보 |
| ぱ ぴ ぷ ぺ ぽ | 빠 | 삐 | 뿌 | 뻬 | 뽀 | 빠 | 삐 | 뿌 | 뻬 | 뽀 |
| きゃ きゅ きょ | 갸 | | 규 | | 교 | 꺄 | | 뀨 | | 꾜 |
| しゃ しゅ しょ | 샤 | | 슈 | | 쇼 | 샤 | | 슈 | | 쇼 |
| ちゃ ちゅ ちょ | 쟈 | | 쥬 | | 죠 | 쨔 | | 쮸 | | 쬬 |
| にゃ にゅ にょ | 냐 | | 뉴 | | 뇨 | 냐 | | 뉴 | | 뇨 |
| ひゃ ひゅ ひょ | 햐 | | 휴 | | 효 | 햐 | | 휴 | | 효 |
| みゃ みゅ みょ | 먀 | | 뮤 | | 묘 | 먀 | | 뮤 | | 묘 |
| りゃ りゅ りょ | 랴 | | 류 | | 료 | 랴 | | 류 | | 료 |
| ぎゃ ぎゅ ぎょ | 갸 | | 규 | | 교 | 갸 | | 규 | | 교 |
| じゃ じゅ じょ | 쟈 | | 쥬 | | 죠 | 쟈 | | 쥬 | | 죠 |
| びゃ びゅ びょ | 뱌 | | 뷰 | | 뵤 | 뱌 | | 뷰 | | 뵤 |
| ぴゃ ぴゅ ぴょ | 뺘 | | 쀼 | | 뾰 | 뺘 | | 쀼 | | 뾰 |

撥音の「ん」は語末と母音の前ではㅇパッチム、それ以外ではㄴパッチムで表す。
促音の「っ」は、か行の前ではㄱパッチム、それ以外ではㅅパッチムで表す。
長母音は表記しない。タ行、ザ行、ダ行に注意。

# 「ハングル」能力検定試験

# 2019年春季　第52回検定試験状況

## ●試験の配点と平均点・最高点

| 級 | 配点（100点満点中） | | | 全国平均点 | | | 全国最高点 | | |
|---|---|---|---|---|---|---|---|---|---|
| | 聞・書 | 筆記 | 合格点（以上） | 聞・書 | 筆記 | 合計 | 聞・書 | 筆記 | 合計 |
| 1級 | 40 | 60 | 70 | 20 | 33 | 53 | 34 | 49 | 81 |
| 2級 | 40 | 60 | 70 | 26 | 35 | 62 | 40 | 58 | 97 |
| 準2級 | 40 | 60 | 70 | 27 | 37 | 64 | 40 | 58 | 98 |
| 3級 | 40 | 60 | 60 | 22 | 34 | 57 | 40 | 60 | 98 |
| 4級 | 40 | 60 | 60 | 29 | 43 | 73 | 40 | 60 | 100 |
| 5級 | 40 | 60 | 60 | 33 | 49 | 82 | 40 | 60 | 100 |

## ●出願者・受験者・合格者数など

| | 出願者数（人） | 受験者数（人） | 合格者数（人） | 合格率 | 累計（1回～52回） | | |
|---|---|---|---|---|---|---|---|
| | | | | | 出願者数 | 受験者数 | 合格者数 |
| 1級 | 87 | 83 | 10 | 12.0% | 4,598 | 4,198 | 481 |
| 2級 | 361 | 309 | 109 | 35.3% | 23,713 | 21,225 | 2,942 |
| 準2級 | 1,042 | 899 | 378 | 42.0% | 56,954 | 51,436 | 16,508 |
| 3級 | 2,369 | 2,056 | 909 | 44.2% | 104,966 | 93,571 | 49,179 |
| 4級 | 2,863 | 2,488 | 1,935 | 77.8% | 124,161 | 110,348 | 80,215 |
| 5級 | 2,585 | 2,236 | 1,966 | 87.9% | 111,501 | 99,286 | 79,770 |
| 合計 | 9,307 | 8,071 | 5,307 | 65.8% | 426,836 | 380,936 | 229,181 |

※累計の各合計数には第18回～第25回までの準1級出願者、受験者、合格者数が含まれます。

■年代別出願者数

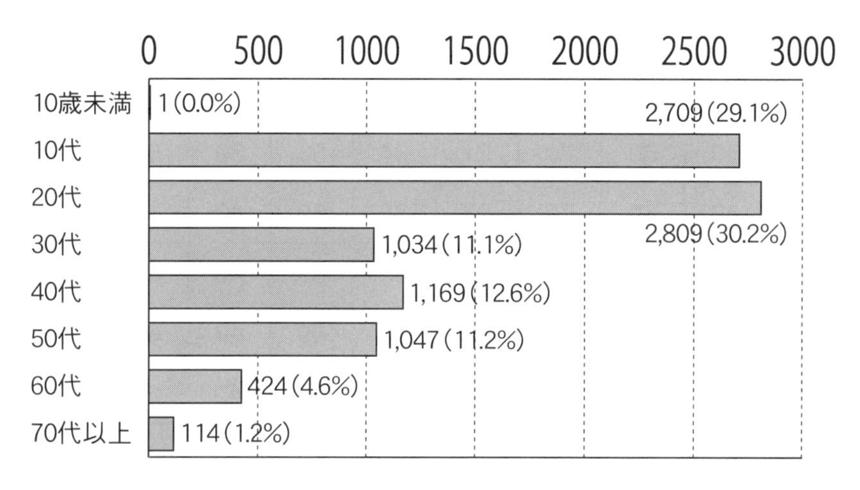


■職業別出願者数

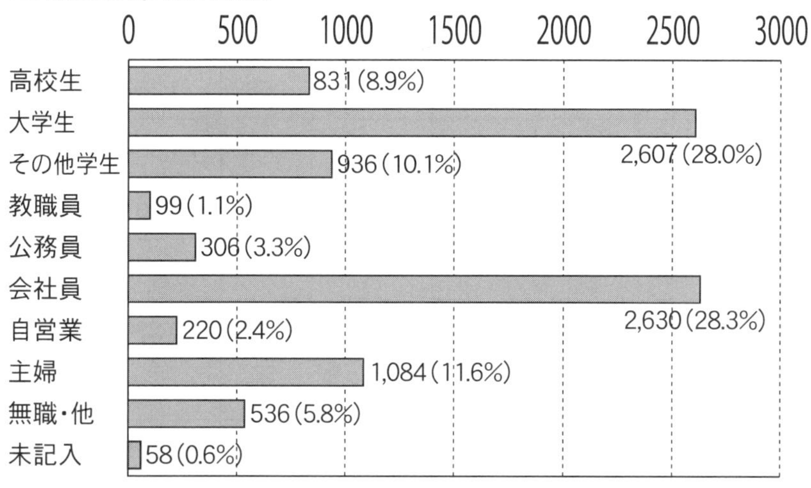

# 2019年秋季　第53回検定試験状況

## ●試験の配点と平均点・最高点

| 級 | 配点（100点満点中） | | | 全国平均点 | | | 全国最高点 | | |
|---|---|---|---|---|---|---|---|---|---|
| | 聞・書 | 筆記 | 合格点（以上） | 聞・書 | 筆記 | 合計 | 聞・書 | 筆記 | 合計 |
| 1級 | 40 | 60 | 70 | 21 | 34 | 56 | 39 | 52 | 86 |
| 2級 | 40 | 60 | 70 | 26 | 33 | 60 | 40 | 55 | 93 |
| 準2級 | 40 | 60 | 70 | 25 | 38 | 63 | 40 | 60 | 100 |
| 3級 | 40 | 60 | 60 | 26 | 43 | 69 | 40 | 60 | 100 |
| 4級 | 40 | 60 | 60 | 28 | 42 | 70 | 40 | 60 | 100 |
| 5級 | 40 | 60 | 60 | 31 | 44 | 76 | 40 | 60 | 100 |

## ●出願者・受験者・合格者数など

| | 出願者数（人） | 受験者数（人） | 合格者数（人） | 合格率 | 累計（1回～53回） | | |
|---|---|---|---|---|---|---|---|
| | | | | | 出願者数 | 受験者数 | 合格者数 |
| 1級 | 91 | 84 | 15 | 17.8% | 4,689 | 4,282 | 496 |
| 2級 | 396 | 331 | 91 | 27.4% | 24,109 | 21,556 | 3,033 |
| 準2級 | 1,193 | 1,065 | 406 | 38.1% | 58,147 | 52,501 | 16,914 |
| 3級 | 2,906 | 2,575 | 1,864 | 72.3% | 107,872 | 96,146 | 51,043 |
| 4級 | 3,360 | 2,933 | 2,173 | 74.0% | 127,521 | 113,281 | 82,388 |
| 5級 | 2,978 | 2,601 | 2,059 | 79.1% | 114,479 | 101,887 | 81,829 |
| 合計 | 10,924 | 9,589 | 6,608 | 68.9% | 437,760 | 390,525 | 235,789 |

※累計の各合計数には第18回～第25回までの準1級出願者、受験者、合格者数が含まれます。

## ■年代別出願者数

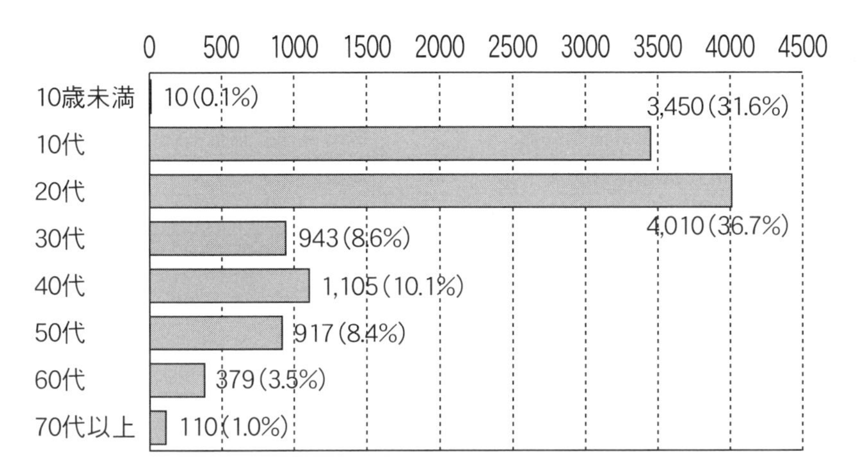


## ■職業別出願者数

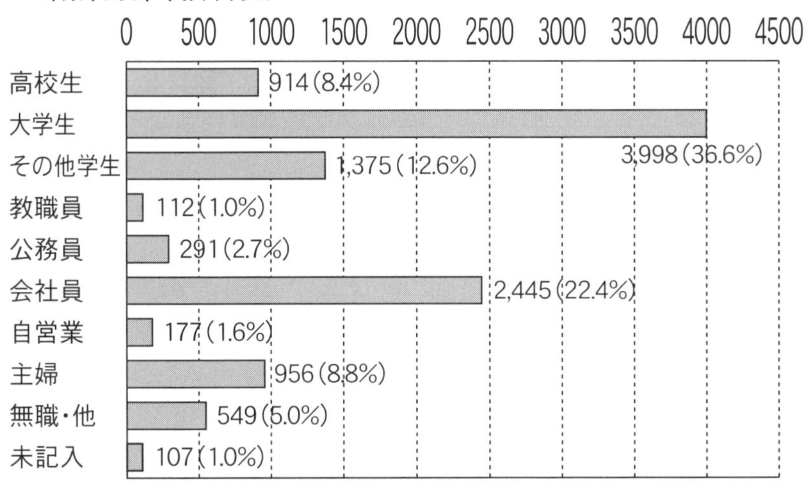

# 春季第52回・秋季第53回 試験会場一覧

都道府県コード順

〈東日本〉

| 受験地 | 第52回会場 | 第53回会場 |
|---|---|---|
| 札　幌 | かでる2・7 | 北海商科大学 |
| 盛　岡 | いわて県民情報交流センター「アイーナ」 | いわて県民情報交流センター「アイーナ」 |
| 仙　台 | ショーケー本館ビル | ショーケー本館ビル |
| 秋　田 | 秋田県社会福祉会館 | 秋田県社会福祉会館 |
| 茨　城 | 筑波国際アカデミー | 筑波国際アカデミー |
| 宇都宮 | 国際TBC高等専修学校 | 国際TBC高等専修学校 |
| 群　馬 | | 藤岡市総合学習センター |
| 埼　玉 | 獨協大学 | 獨協大学 |
| 千　葉 | 千葉経済大学短期大学部 | 敬愛大学 |
| 東京A | 専修大学（神田キャンパス） | フォーラムエイト |
| 東京B | 東京学芸大学（小金井キャンパス） | 武蔵野大学（武蔵野キャンパス） |
| 神奈川 | 神奈川大学（横浜キャンパス） | 神奈川大学（横浜キャンパス） |
| 新　潟 | 新潟県立大学 | 新潟県立大学 |
| 富　山 | 富山県立伏木高等学校 | 富山県立伏木高等学校 |
| 石　川 | 金沢勤労者プラザ | 金沢勤労者プラザ |
| 長　野 | | 長野朝鮮初中級学校 |
| 静　岡 | 静岡学園早慶セミナー | 静岡県男女共同参画センターあざれあ |
| 浜　松 | | 浜松労政会館 |

# 春季第52回・秋季第53回 試験会場一覧

都道府県コード順

〈西日本〉

| 受験地 | 第52回会場 | 第53回会場 |
|---|---|---|
| 名古屋 | IMYビル | IMYビル |
| 四日市 | | 四日市朝鮮初中級学校 |
| 京　都 | 京都女子大学 | 京都女子大学 |
| 大　阪 | 関西大学（千里山キャンパス） | 関西大学（千里山キャンパス） |
| 神　戸 | 神戸市外国語大学 | 神戸市外国語大学 |
| 鳥　取 | 鳥取市福祉文化会館 | 鳥取市福祉文化会館 |
| 岡　山 | | 岡山朝鮮初中級学校 |
| 広　島 | 広島ＹＭＣＡ国際文化センター | 広島ＹＭＣＡ国際文化センター |
| 香　川 | アイパル香川 | アイパル香川 |
| 愛　媛 | 松山大学（樋又キャンパス） | 松山大学（文京キャンパス） |
| 福　岡 | 西南学院大学 | 西南学院大学 |
| 北九州 | 北九州市立八幡東生涯学習センター | 北九州市立八幡東生涯学習センター |
| 佐　賀 | メートプラザ佐賀 | 佐賀県立佐賀商業高等学校 |
| 熊　本 | くまもと県民交流館パレア | 熊本市国際交流会館 |
| 大　分 | 立命館アジア太平洋大学 | 立命館アジア太平洋大学 |
| 鹿児島 | 鹿児島県青少年会館 | 鹿児島県文化センター宝山ホール |
| 沖　縄 | 浦添市産業振興センター「結の街」 | 浦添市産業振興センター「結の街」 |

◆準会場での試験実施は、第52回31ヶ所、第53回37ヶ所となりました。
皆様のご協力に感謝いたします。

# 1級2次試験会場一覧

都道府県コード順

※1級1次試験合格者対象

| 受験地 | 第52回会場 | 第53回会場 |
|---|---|---|
| 東　京 | ハングル能力検定協会　事務所 | ハングル能力検定協会　事務所 |
| 大　阪 | 新大阪丸ビル別館 | 新大阪丸ビル別館 |
| 福　岡 | | |

# ●合格ラインと出題項目一覧について

## ◇合格ライン

| | 聞きとり | | 筆記 | | 合格点 |
|---|---|---|---|---|---|
| | 配点 | 必須得点(以上) | 配点 | 必須得点(以上) | 100点満点中(以上) |
| 5級 | 40 | | 60 | | 60 |
| 4級 | 40 | | 60 | | 60 |
| 3級 | 40 | 12 | 60 | 24 | 60 |
| 準2級 | 40 | 12 | 60 | 30 | 70 |
| 2級 | 40 | 16 | 60 | 30 | 70 |
| | 聞きとり・書きとり | | 筆記・記述式 | | |
| | 配点 | 必須得点(以上) | 配点 | 必須得点(以上) | |
| 1級 | 40 | 16 | 60 | 30 | 70 |

◆解答は、５級から２級まではすべてマークシート方式です。
１級は、マークシートと記述による解答方式です。
◆5、４級は合格点(60点)に達していても、聞きとり試験を受けていないと不合格になります。

## ◇出題項目一覧

| | | 初級 | | 中級 | | 上級 | |
|---|---|---|---|---|---|---|---|
| | | 5級 | 4級 | 3級 | 準2級 | 2級 | 1級 |
| 学習時間の目安 | | 40時間 | 80 | 160 | 240〜300 | — | — |
| **発音と文字** | | | | | | ＊ | ＊ |
| **正書法** | | | | | | | |
| **語彙** | | | | | | | |
| | 擬声擬態語 | | | ＊ | ＊ | | |
| | 接辞、依存名詞 | | | | | | |
| | 漢字 | | | | | | |
| **文法項目と慣用表現** | | | | | | | |
| **連語** | | | | | | | |
| **四字熟語** | | | | | ＊ | | |
| **慣用句** | | | | | | | |
| **ことわざ** | | | | | | | |
| **縮約形など** | | | | | | | |
| **表現の意図** | | | | | | | |
| **テクストの理解と産出** | 内容理解 | | | | | | |
| | 接続表現 | ＊ | ＊ | | | | |
| | 指示詞 | ＊ | ＊ | | | | |

※灰色部分が、各級の主な出題項目です。
「＊」の部分は、個別の単語として取り扱われる場合があることを意味します。

# 協会発行書籍案内　협회 발간 서적 안내

## 「ハングル」検定公式テキスト ペウギ 準2級/3級/4級/5級

ハン検公式テキスト。これで合格を目指す！　暗記用赤シート付。
準2級/2,700円（税別）※CD付き
3級/2,500円（税別）
5級、4級/各2,200円（税別）
※A5版、音声ペン対応

## 新装版　合格トウミ 初級編 / 中級編 / 上級編

レベル別に出題語彙、慣用句、慣用表現等をまとめた受験者必携の一冊。
暗記用赤シート付。
初級編/1,600円（税別）
中級編、上級編/2,200円（税別）
※A5版、音声ペン対応

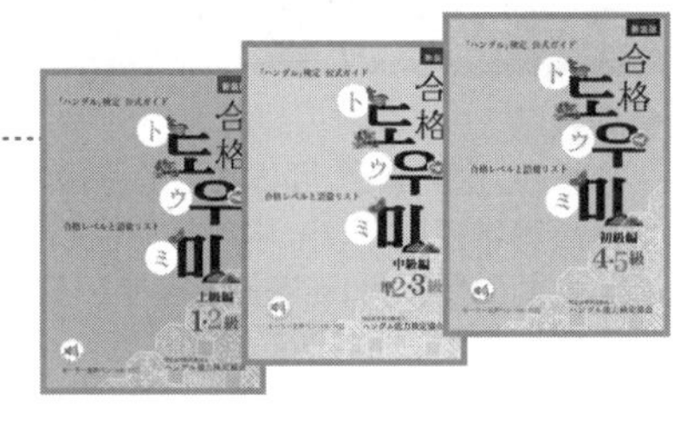

## 中級以上の方のためのリスニングBOOK 読む・書く「ハン検」

長文をたくさん読んで「読む力」を鍛える！
1,800円（税別）
※A5版、音声ペン対応
別売CD/1,500円（税別）

## ハン検 過去問題集（CD付）

年度別に試験問題を収録した過去問題集。
学習に役立つワンポイントアドバイス付！
1、2級/2,000円（税別）
準2、3級/1,800円（税別）
4、5級/1,600円（税別）

## ★☆★詳細は協会ホームページから！★☆★

### 協会書籍対応　音声ペン

対応書籍にタッチするだけでネイティブの発音が聞ける。
合格トウミ、読む書く「ハン検」、ペウギ各級に対応。
7,819円（税込8,600円）

好評発売中！

## 2019年版
## ハン検 過去問題集（CD付）

◆2018年第50回、51回分の試験問題と正答を収録、学習に役立つワンポイントアドバイス付！

１級、２級……………………………………各2,000円（税別）
準２級、３級…………………………………各1,800円（税別）
４級、５級……………………………………各1,600円（税別）

### 購入方法

①全国主要書店でお求めください。（すべての書店でお取り寄せできます）
②当協会へ在庫を確認し、下記いずれかの方法でお申し込みください。

【方法１：郵便振替】
振替用紙の通信欄に書籍名と冊数を記入し代金と送料をお支払いください。お急ぎの方は振込受領書をコピーし、書籍名と冊数、送付先と氏名をメモ書きにしてFAXでお送りください。

◆口座番号：00160－5－610883
◆加入者名：ハングル能力検定協会

（送料1冊350円、2冊目から1冊増すごとに100円増、10冊以上は無料）

【方法２：代金引換え】
書籍代金（税込）以外に別途、送料と代引き手数料がかかります。詳しくは協会へお問い合わせください。

③協会ホームページの「書籍販売」ページからインターネット注文ができます。
（http://www.hangul.or.jp）

※音声ペンのみのご注文：送料500円/1本です。2本目以降は1本ごとに100円増となります。
書籍と音声ペンを併せてご購入頂く場合：送料は書籍冊数×100円＋音声ペン送料500円です。ご不明点は協会までお電話ください。
※音声ペンは「ハン検オンラインショップ」からも注文ができます。

2020年版「ハングル」能力検定試験
ハン検 過去問題集〈4級〉
2020年3月1日発行
編　著　特定非営利活動法人
ハングル能力検定協会
発　行　特定非営利活動法人
ハングル能力検定協会
〒101-0051 東京都千代田区神田神保町2-22-5 F
TEL 03-5858-9101　FAX 03-5858-9103
http://www.hangul.or.jp
製　作　現代綜合出版印刷株式会社
定価（本体1,600円＋税）
HANGUL NOURYOKU KENTEIKYOUKAI
ISBN 978-4-910225-02-9　C0087　¥1600E